MICHELANGELO

OMMARIO

**In copertina:
Michelangelo,
San Matteo.
Firenze,
Galleria
dell'Accademia**

**Qui accanto:
capitello.
Firenze,
Casa Buonarroti.**

LA VITA E LE OPERE
di Bruno Contardi

ELL'APRILE del 1508, quando si appresta all'immane fatica, anche fisica, della volta della Sistina, Michelangelo ha trentatré anni. Enfant prodige della cultura fiorentina, si è formato alla cerchia neoplatonica radunata attorno a Lorenzo il Magnifico che, presolo a benvolere, lo ha accolto in Palazzo Medici. Giovanissimo, ha così frequentato gli umanisti più colti del tempo: il poeta Poliziano, il filosofo Marsilio Ficino, il dottissimo Pico della Mirandola. Più che alla bottega del Ghirlandaio o alla scuola di Bertoldo, si è educato sugli esempi dei "grandi" fiorentini del primo Quattrocento, riallacciandosi a Masaccio, a Donatello, a Jacopo della Quercia e, risalendo ancora più indietro, ai contemporanei del "suo" Dante: Giotto, Nicola e Giovanni Pisano. Ammesso a frequentare la ricca collezione medicea di antichità, ha acquisito una conoscenza diretta e originale dell'arte classica.

Prima dei venti anni ha scolpito, probabilmente su consiglio del Poliziano, la *Centauromachia* di casa Buonarroti; ad appena ventidue è celebre anche a Roma dove, per l'ambasciatore di Carlo VIII, e forse con destinazione funeraria, esegue la *Pietà* ora nella basilica vaticana. Nel 1501 riceve l'incarico per il gigantesco *David* di Piazza della Signoria; nel 1504, in concorrenza con l'"anziano" Leonardo, prepara il cartone per la *Battaglia di Cascina*, da affrescare nella Sala del Gran Consiglio in Palazzo Vecchio.

In queste opere chiave Michelangelo ha già affrontato e ridefinito alcuni problemi essenziali della cultura fiorentina della fine del Quattrocento. L'antico nella *Centauromachia* non è, come in Bertoldo, fonte per una raffinata esercitazione formale, né, come in Piero di Cosimo, per una elegiaca, quasi nostalgica rievocazione di un passato perduto, o ancora spunto per una fantastica citazione di motivi bizzarri, come in Filippino Lippi. La storia, per Michelangelo, è infatti il risultato dell'intervento divino nel mondo, e l'antico ne è la concreta testimonianza. La furibonda zuffa è lotta tra divino e bestiale, opposizione tra pura materia informe, o quasi sbozzata, e "furor" che si "tras-forma" in (ovvero prende la forma di) movimento. Il moto non è dunque, come in quegli stessi anni pensava Leonardo, fenomeno di cui indagare cause fisiche e meccaniche, né risultato di sforzi

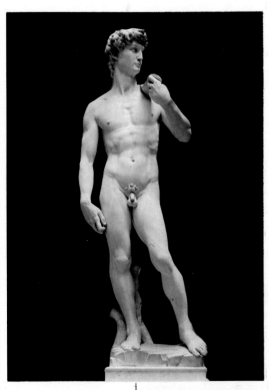

David (1501-1504). Firenze, Accademia.

Simbolo delle virtù della giovane Repubblica fiorentina, la statua fu concepita come elemento isolato all'ingresso del Palazzo della Signoria.

Centauromachia
(1491-1492).
Firenze, Casa
Buonarroti.

anatomicamente definibili, come nella contemporanea scultura di Pollaiolo: è, per Michelangelo, il fenomenizzarsi di una ispirazione divina tutta trascendente. Quanto la *Centauromachia* è ciclonico sconquasso, tanto è immota fissità il gruppo marmoreo di San Pietro, nel quale Michelangelo pone il problema del sacro che, in quegli anni di acuti fermenti religiosi (a Firenze, nel maggio 1498, un rogo chiude tragicamente l'esperienza, non solo religiosa, del frate domenicano Girolamo Savonarola), tormenta Botticelli e assilla Signorelli. L'assoluta assenza di moto e di sforzo visibile nella *Pietà* (anche il braccio di Cristo si abbandona lentamente, andando con calcolato languore a iscriversi nella composizione triangolare) si spiega facilmente: non può esserci moto né sforzo, in quanto il sacro, a differenza di quanto pensava l'apocalittico Botticelli, è "oltre" e non "contro" la storia, ed è al di là della materia. È stata più volte notata la apparentemente contraddittoria giovinezza della Vergine che, in una rappresentazione naturalistica, al momento della morte del Figlio, dovrebbe essere raffigurata in età quanto meno matura: ma, il sacro sottraendosi alla storia, non esistendo né nel futuro né nel passato, l'unico rapporto temporale possibile è quello dell'assoluta contemporaneità della "visione", ché tale va considerata la *Pietà*. Si spiega in questo modo anche l'estrema finitezza del marmo, che abolisce ogni traccia di materialità della scultura e nasconde il farsi della tecnica. La luce scorre sulle superfici politissime senza incontrare spigoli né interruzioni in angoli vivi, concretizzando una immagine più "vera" del naturale.

Accettando di scolpire, per l'Opera del Duomo di Firenze, un *David* colossale (dell'altezza di oltre quattro metri) in un grande blocco di marmo già malamente abbozzato da Agostino di Duccio quaranta anni prima, Michelangelo affronta il tema, umanistico, dell'eroe. Il Quattrocento aveva concepito la statua come celebrazione dell'uomo e della sua azione nella storia e nel mondo: lo aveva teorizzato Leon Battista Alberti nel trattato *De statua*, e dimostrato in scultura Donatello (per esempio nel

L'esatto soggetto del bassorilievo è controverso: probabilmente vi è rappresentato l'intervento divino per placare la battaglia tra centauri e lapiti dopo il ratto di Ippodamia.

Pietà (1497-1498).
Roma,
San Pietro in Vaticano.

Gattamelata o nella *Giuditta*), in pittura Paolo Uccello e Andrea del Castagno (si ricordino i due monumenti equestri a Giovanni Acuto e a Nicolò da Tolentino affrescati sulle pareti di Santa Maria del Fiore, o gli *Uomini illustri* già nella villa di Legnaia, a dimostrazione che non di una tecnica artistica si tratta, non essendo limitata alla sola scultura, ma di un concetto).

Il *David* di Michelangelo non è, tuttavia, se confrontato con la statuaria precedente, l'eroe trionfante che ostenta il simbolo della vittoria, né il guerriero colto nello sforzo della lotta: la figura gigantesca è tesa, concentrata, compressa come un elastico che accumula tensione per poi liberarla in un solo gesto, nella statua ancora implicito. Nulla del moto è infatti in atto, tutto è ancora in potenza. L'intero peso del corpo è portato dalla gamba destra, i muscoli della quale sono contratti nello sforzo, mentre la sinistra si flette in avanti, dando il via a una bilanciata asimmetria per cui il braccio sinistro si piega a sciogliere la fionda, e quello destro si distende, salvo a serrare, all'estremità, la mano. L'accumulo massimo di energia si concentra alla sommità della statua, nei fasci muscolari del collo che imprimono al volto una violenta, anche se contenuta, torsione: anche l'espressione del viso è tesa, lo sguardo fisso verso il nemico ancora lontano, aggrottate le sopracciglia. La stessa superficie del marmo dimostra una tensione interna, percorsa com'è dal pulsare delle vene, dal tendersi dei muscoli, dall'evidenziarsi delle ossa, in una dimostrazione di virtuosismo anatomico che non si riscontrava né nel "non-finito" della *Centauromachia*, né nel "troppo-finito" della *Pietà*. Già durante l'esecuzione il significato profondo dell'opera muta, passando da una valenza religiosa a una intenzionalità essenzialmente politica: il nudo colossale è concepito dallo stesso Michelangelo come incarnazione della Fortezza e dell'Ira, simboli civici delle virtù del popolo e della giovane repubblica fiorentina. L'eroe è dunque la rappresentazione simbolica di un concetto, di un'idea che si incarna nella storia.

Appena terminata la statua, si aprì un dibattito pubblico sulla sua migliore collocazione: probabilmente il Buonarroti,

Unica opera di Michelangelo firmata, la statua fu collocata nel 1499 nella cappella romana di Santa Petronilla, dove fu sepolto il committente, il cardinale francese Jean Bilhères; passò nel 1517 nella vecchia sagrestia di San Pietro. Si trova nella attuale collocazione dal 1749.

Bastiano da Sangallo,
copia della *Battaglia
di Cascina*.
Norfolk,
collezione Leicester,
Holkam Hall.

certamente il rappresentante della Signoria, la vogliono a lato della porta di Palazzo Vecchio, con la scabra, antica muraglia a fare da contrasto con la chiusa definizione plastica del marmo. Leonardo ne suggerisce invece l'ubicazione sotto la Loggia dell'Orcagna «con uno nichio nero di dietro in modo di cappelluzza», sì da immergerla in uno sfondo chiaroscurale che ne gradui pittoricamente e coloristicamente i trapassi di luce, ne attenui l'assoluta autonomia, rispetto a quanto è nello spazio e nell'aria circostante. Siamo davanti, evidentemente, a una profonda divergenza tra due concezioni, non solo estetiche, opposte.

E la divergenza diventa confronto, e scontro diretto, quando, lo stesso anno, Leonardo e Michelangelo si trovano ad affrescare, su commissione di Pier Soderini, nella stessa Sala del Gran Consiglio in Palazzo Vecchio, due gloriosi episodi bellici della storia cittadina: a Leonardo viene affidata la rappresentazione della battaglia di Anghiari, a Michelangelo quella di Cascina. Purtroppo, nessuna delle due opere fu terminata: Leonardo iniziò solo a dipingere la sua, che si guastò a causa del dichiarato sperimentalismo della tecnica di esecuzione; Michelangelo abbandonò l'incarico, come vedremo, ancor prima di metter mano al pennello. Rimasero, finché si conservarono, i cartoni preparatorî, appassionatamente studiati dai giovani arti-

Anonimo,
copia della *Battaglia
di Anghiari* di
Leonardo da Vinci,
(XVI sec.).
Firenze, Uffizi.

Tondo Pitti
(1503-1506).
Firenze, Bargello.

sti fiorentini: «scuola del mondo» li definì Cellini, e per molto tempo costituirono il testo più avanzato in una Firenze presto abbandonata dai due suoi figli più celebri, chiusura definitiva del Quattrocento e straordinaria apertura sul secolo nuovo dominato da Roma.

Il tema, questa volta, è la pittura di storia, mentre il problema formale che si pone è l'articolarsi coordinato in un formato allora inconsueto (la parete da affrescare era lunga almeno sette metri) di molte figure in movimento.

Della *Battaglia di Anghiari* ci restano alcune copie, la più antica e fedele delle quali, ora a Monaco, mostra probabilmente la parte che fu realmente affrescata, la cosiddetta *Lotta per lo stendardo*, più tardi copiata anche da Rubens; ma abbiamo anche schizzi e studi autografi per teste, cavalli e cavalieri, e per alcune figure di combattenti, dai quali possiamo farci un'idea abbastanza precisa delle intenzioni dell'artista.

La figura non si immerge nello spazio atmosferico, ma emerge dal fondo con un potente movimento rotatorio.

Ancor più significativo, tuttavia, è un brano scritto qualche anno prima da Leonardo sul «modo di figurare una battaglia», nel quale consiglia: «Farai in prima il fumo dell'artiglierie mischiato in fra l'aria insieme con la polvere mossa dal movimento de' cavagli, de' combattitori, la quale mistione userai così: la polvere, perché è cosa terrestre e ponderosa e benché per la sua sottilità femminile si levi e mischi infra l'aria, niente di meno volentieri ritorna in basso, e 'l suo sommo montare è fatto da la parte più sottile; adunque lì meno fia veduta e parrà quasi di colore d'aria. Il fumo che si mischia infra l'aria impolverata, quanto più s'alza a certa altezza, parirà oscura nuvola... Farai rosseggiare i volti e le persone e l'aria... farai i vincitori correnti co' capegli e altre cose leggeri sparsi al vento... farai i vinti e battuti pallidi, colle ciglie alte nella lor congiunzione... farai molte sorte d'arme infra i piedi de' combattori, come scudi rotti, lance, spade rotte e altre simili cose; farai omini morti, alcuni ricoperti mezzi dalla polvere, altri tutta la polvere che si mischia coll'uscito sangue convertirsi in rosso fango, e vedere il sangue col su' colore correre con torto corso dal corpo alla polvere; altri morendo strignere i denti, travolgere gli occhi, strignere le pugna e la persona e le gambe storte». Fumo, sangue, polvere, scoppi di artiglierie, tutto si mischia in un cosmico, vorticoso travolgimento, espressioni feroci e maschere dolenti, nitrire furioso di cavalli eccitati dalla pugna: la battaglia, per Leonardo, è quasi un caos primordiale, uno sconvolgimento totale della natura, come il diluvio, il terremoto, lo scoppiare di un temporale, eventi eccezionali indagati da Leonardo in molti disegni di quegli anni.

Eccezionali, ma tuttavia retti dalle medesime leggi della natura che regolano l'ordinato scorrere delle cose: come negli eventi naturali, anche nella battaglia la luce, attraversando il fumo e la polvere, modifica colori e forme, così come la ferocia e la furia modificano espressioni e atteggiamenti dei volti degli uomini e delle bestie, alterando con la caricatura espressioni e atteggiamenti naturali.

Se la storia, per Leonardo, è evento naturale, per Michelangelo, come per il Machiavelli dei *Discorsi*, è virtù, volontà, dispiegarsi di forze ed energie. Invece di descrivere la battaglia nel suo svolgersi disordinato, egli decide, seguendo la lettera della *Chronica* del Villani, di cogliere il momento preparatorio dello scontro vittorioso, quando Manno Donati dà l'allarme, riscuotendo i fiorentini che, stanchi della lunga marcia verso Pisa, si riposano nelle fresche acque del fiume: il grido «Siamo persi!», il terrore di essere sorpresi impreparati nell'attimo decisivo è la molla che fa scattare gli ignudi.

La copia parziale del cartone preparatorio, eseguita alla metà del secolo da Bastiano da Sangallo, mostra una composizione articolata su una serie di triangoli divergenti, che partono dalle balze rocciose della riva del fiume, per scaglionarsi poi in profondità come in un rilievo marmoreo. All'estrema sinistra è un primo gruppo, formato da quattro persone, al cui vertice è il guerriero che sta indossando un pettorale; all'estrema destra corrisponde un altro gruppo, più folto, in cui il vertice è costituito dal guerriero con lo scudo e la base dal nudo che si sta calzando. Ancor più dinamica apparirà la composizione quando si osservi che al centro, in primo piano, è un vuoto, quasi un risucchio verso l'interno, audacemente sottolineato dal serpentinato e improvviso volgersi del nudo, a metà sulla terraferma, le gambe nel vuoto; più in alto è il triangolo formato dai nudi divergenti dei due guerrieri che si preparano alla battaglia (uno vestendosi, l'altro impugnando una lancia) e, incrociandosi, mettono in collegamento i gruppi alle due estremità.

Bacco (1496-1497). Firenze, Bargello.

Eseguito a Roma per il cardinale Raffaele Riario, cugino del futuro papa Giulio II. Come nel piccolo *Cupido assopito* (venduto come anticaglia a Roma nel 1496) e nel *Cupido Apollo* (entrambi dispersi), Michelangelo ricrea un proprio "antico" non ricavato filologicamente da alcun modello.

Nella pagina a fianco: *Tondo Doni* (1506-1507), particolare dopo il restauro (l'intero è riprodotto a pag. 44). Firenze, Uffizi.

Schiavo morente (1513).
Parigi, Louvre.
Noto anche come
***Schiavo dormiente*,**
insieme allo
Schiavo ribelle
avrebbe dovuto essere
collocato nella zona
inferiore della Tomba
di Giulio II.
Il Vasari ne dà una
interpretazione di tipo
storico:
sono le province
assoggettate
da Giulio II;
il Condivi li spiega
invece
allegoricamente: sono
le arti liberali che
piangono il pontefice.
Certo è che il tema
dei prigionieri
inserisce all'interno
del compianto funebre
una nota celebrativa
ripresa dai trionfi
antichi.

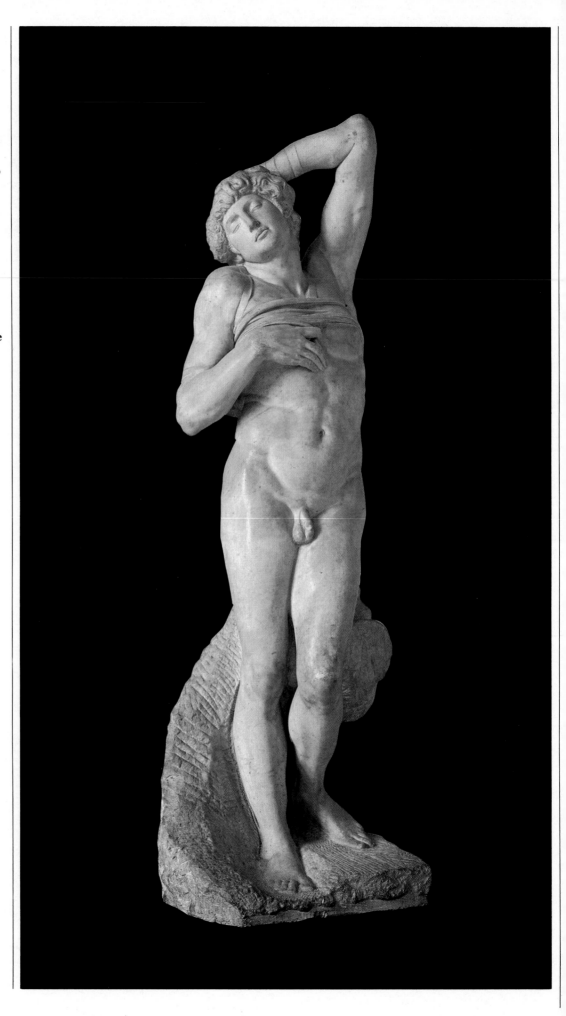

Come il Signorelli di Orvieto e il Pollaiolo delle battaglie dei nudi, Michelangelo disegna una antologia di nudi eroici; ma, a differenza dei predecessori quattrocenteschi, le anatomie di corpi virili in movimento sotto il tendersi dei muscoli, nella animata composizione michelangiolesca, non si danno in sé, ma sono frutto dello sforzo, della tensione dello spirito al trascendimento del corpo, superamento della fisicità della materia da parte di un eroismo tutto spirituale.

Se compiuto, l'affresco di Palazzo Vecchio sarebbe stato, sia pure tutto all'interno della tradizione fiorentina, un immediato precedente della composizione della gigantesca volta della Sistina. Ma Michelangelo interruppe i lavori, abbandonando la "sua" Firenze per la Roma di Giulio II. Lo chiama l'autoritario pontefice per dar forma al più ambizioso progetto dell'epoca: il proprio mausoleo da porsi al centro della basilica madre della cristianità, San Pietro.

Dal nuovo lavoro Michelangelo è preso interamente: invitato a Roma dal pontefice (forse su consiglio del fiorentino Giuliano da Sangallo) nel marzo 1505, lo stesso mese stipula un contratto che prevede la spesa, enorme, di ben 10.000 ducati, e un impegno di cinque anni, per una quarantina tra statue, bassorilievi in bronzo e figure più piccole; il mese successivo è a Carrara per scegliere i marmi necessari, che iniziano ad arrivare nello studio nei pressi di San Pietro nel gennaio 1506. Per la tomba non solo interrompe la *Battaglia di Cascina*, ma annulla anche il contratto per dodici statue di apostoli per Santa Maria del Fiore: sente che il monumento di papa Giulio potrà essere la "sua" opera, in cui far confluire idee, problemi, forme che gli affollano la mente.

Del progetto conosciamo solo quanto si ricava dalle descrizioni del Vasari e del Condivi, i primi e più attendibili biografi di Michelangelo, non sempre tuttavia concordi tra loro. Di certo sappiamo che deve trattarsi di un organismo plastico e insieme architettonico, autonomo, non addossato cioè alle pareti, come le comuni tombe, ma posto al centro dello spazio, forse nel coro della vecchia basilica vaticana, sopra la tomba dell'apostolo Pietro; è ideato in forma rettangolare, largo undici metri e profondo sette, articolato in altezza su tre ordini che man mano digradano verso l'alto, quasi in forma di piramide. All'interno è previsto un piccolo sacello ovale, cui si accede da una o forse due porte, poste al centro del lato lungo. Nell'ordine inferiore statue di Vittorie, in due grandi nicchie laterali, e Prigioni o Schiavi su pilastri quadrati alludono alle virtù del pontefice; nella zona mediana sono le statue di Mosè, di san Paolo, della Vita Attiva e della Vita Contemplativa; al coronamento due figure allegoriche (angeli, secondo Condivi; Cielo e Terra, per il Vasari) sorreggono la bara con la figura di Giulio II.

Più che tomba, è un maestoso mausoleo cristiano, che rivaleggia con gli antichi sepolcri degli imperatori romani, o con il mitico Mausoleo di Alicarnasso: il rapporto tra antico e moderno, tra forme classiche eroiche e spiritualità cristiana si pone, e non può non porsi, a Roma, in modo diverso che a Firenze.

A Roma l'antico è realtà continuamente incalzante nella sua viva flagranza, fondamento storico del presente, della supremazia della Chiesa di Roma sulle altre, del potere anche temporale del Papato, che Giulio rivendica con forza: non occorre ricordare che, nel gennaio 1506, Michelangelo è presente al ritrovamento della statua del *Laocoonte*, e che la stessa basilica vaticana ove Michelangelo progetta la tomba è ancora, in gran parte, quella costantiniana, imperiale.

L'antico è la storia che si estrae dal tempo, che ne-è-fuori,

Dall'alto:
ricostruzione secondo Tolnay del primo (1505) e del secondo (1513) progetto per la Tomba di Giulio II.

Alla morte del pontefice Giulio II, Michelangelo abbandona il progetto di un monumento isolato al centro della Basilica vaticana, e sceglie di addossare la tomba a una parete, eliminando ogni spazio interno. Il maggior slancio verticale, sottolineato dal concentrarsi delle statue agli angoli, viene riassunto nella figura della Vergine con il Bambino.

Sopra:
ricostruzione secondo Tolnay del terzo progetto (1516) per la Tomba di Giulio II.
Come nei contemporanei progetti per la facciata di San Lorenzo, il problema formale è la relazione tra architettura e scultura.

Sotto:
ricostruzione secondo Tolnay del quinto progetto (1532) per la Tomba di Giulio II, ideato per San Pietro in Vincoli.
Ormai distaccatosi dal tema, Michelangelo prevede di utilizzare i marmi già lavorati in precedenza.

Nella pagina a fianco:
Tomba di Giulio II. Roma, San Pietro in Vincoli.
Il monumento sepolcrale di Giulio II, nel suo stato attuale, nasce dal contratto del 1532. Venne presa la decisione di collocarlo nella chiesa di San Pietro in Vincoli e di utilizzare le sculture già realizzate dall'artista: il *Mosè* (1515 ca.) e altri elementi architettonici e decorativi. Le figure di Rachele e di Lia furono eseguite nel 1542, quando venne stipulato l'ultimo contratto con gli eredi del pontefice. Ampio fu l'intervento dei collaboratori.

forma pura della quale la rivelazione cristiana, neoplatonicamente, fa scoprire i reconditi e profondi significati, svela la intrinseca simbologia. Le Vittorie e gli Schiavi previsti nell'ordine inferiore della tomba sono forme antiche tratte dai Trionfi classici, imperiali, e, al tempo stesso, simboleggiano la Resurrezione, la vittoria cristiana dello spirito sulla materia, sul tempo, sulla morte fisica. Mentre Bramante in quegli stessi anni, nel Tempietto di San Pietro in Montorio, memoria edificata sul luogo del martirio del fondatore della Chiesa romana, immagina il monumento come "tipo", manifesta allegoria della rinascita storica di un antico teoricamente ricreato sul trattato di Vitruvio e archeologicamente provato, Michelangelo, nel sacello funebre sul luogo della tomba dell'apostolo, fa del monumento la forma ideale che unisce simbolicamente, e non allegoricamente, antichità e cristianesimo. Sola architettura l'uno, prodotto di più tecniche (architettonica, statuaria, fusoria) l'altro; così come è, insieme antico e moderno, il monumento per Michelangelo è sintesi delle arti. Si spiega: la forma, non derivando dalla materia ma "pre-esistendole", è assolutamente indifferente al farsi della tecnica:

«*Non ha l'ottimo artista alcun concetto*
Ch'un marmo solo in se non circoscriva
Col suo soverchio, et solo à quello arriva
La man, che ubbidisce all'intelletto».

Come nella scultura l'idea precede la materia e si realizza sottraendo al blocco di marmo il superfluo, in architettura l'idea si attua sottraendosi al codice linguistico.

Proprio in questi anni Michelangelo, copiando taccuini quali il *Codex Corner*, studia i singoli elementi architettonici classici (capitelli, basi, gole, paraste), concentrando l'attenzione sulla loro complessa, talora misteriosa morfologia, sottraendosi al rispetto, più rilevante dal punto di vista classico, della tassonomia della lingua. Il rapporto architettura-scultura non è dunque, nella tomba, di continuità o contiguità tecnica, come sarà in Raffaello, ma di affinità strutturale, nel comune concorrere all'articolarsi formale di più figure (umane o architettoniche) nello spazio.

Il progetto del 1505 doveva costituire il primo capitolo di quella che Michelangelo chiamerà «la tragedia della sepoltura», opera fortemente sentita, catalizzatrice di soluzioni poi sviluppate in altre opere, eppure impossibile da realizzare. Per gli intrighi della corte romana, per gelosia degli urbinati Bramante e Raffaello, suppose il Buonarroti; in realtà per l'improvviso volgersi dell'interesse di Giulio II a un progetto ancor più ambizioso: la ricostruzione della basilica vaticana, affidata a Bramante. Nel vedere abbandonato il suo progetto, lo sdegno di Michelangelo fu terribile: ad aprile, subito prima della posa della pietra di fondazione del nuovo San Pietro, non essendo stato ricevuto dal papa, abbandona Roma e torna a Firenze.

La riconciliazione tra quelle due fortissime personalità fu affare di Stato: occorsero tre "brevi" pontifici alla Signoria, e l'intervento dello stesso Soderini sull'artista («Noi non vogliamo per te far guerra col papa e metter lo Stato nostro a risico») per convincere Michelangelo a raggiungere Giulio II, che assediava Bologna, per chiedere perdono.

Probabilmente, più che le pressioni esterne, valse l'assicurazione del solo momentaneo accantonamento della sepoltura: la gigantesca statua bronzea di Giulio II, posta sulla facciata di San Petronio nel febbraio 1508, che celebra il pontefice vittorioso sulla città ribelle, frutto di più di un anno di lavoro, doveva essere ancora una meditazione sul problema della tomba, che continua ad arrovellare la mente di Michelangelo.

La Sistina

Nella pagina a fianco:
lunetta con iscrizione
«IACOB / IOSEPH»,
particolare di testa
femminile (1512 ca.).
Roma, Cappella Sistina.

Csempre sospettoso che i rivali gli tendano insidie per svilirlo agli occhi del papa, terminata la statua di Bologna (andata presto distrutta nella ribellione della città del 1511), nella primavera del 1508 Michelangelo accetta l'incarico di affrescare la volta della Cappella Sistina. Protesta di non essere pittore, teme che il nuovo lavoro, di dimensioni sovrumane, lo allontani dalla realizzazione della tomba di papa Giulio. Infine, in un ricordo del 10 maggio, registra di aver ottenuto 500 ducati per conto dell'impresa «per la quale comincio oggi a lavorare».

La Cappella Maxima del Palazzo Pontificio, già immaginata a metà Quattrocento da Nicolò V nel suo grandioso programma di ammodernamento della residenza vaticana, era stata costruita dallo zio di Giulio II, Sisto IV, intorno al 1475. Secondo la suggestiva ipotesi del Battisti, le proporzioni e la struttura architettonica si rifanno a quelle del tempio di Salomone: come ha definitivamente spiegato Calvesi, il complesso programma iconografico, elaborato probabilmente dallo stesso pontefice francescano, insiste sulla superiorità della religione cristiana su quella ebraica, di Cristo su Mosè, del pontefice su Salomone, del *Nuovo Testamento* sull'*Antico*. Alle pareti, otto scene della vita di Mosè (sulla sinistra) corrispondono ad altrettante storie del *Nuovo Testamento*.

La densità concettuale degli affreschi, dipinti tra il 1481 e il 1482 dai più importanti artisti allora attivi tra Umbria e Toscana (oltre a Perugino, Pinturicchio e Signorelli, anche il fiorentino e neoplatonico Botticelli, di cui Michelangelo doveva considerarsi quasi allievo), non può lasciare indifferente il Buonarroti, né Giulio II, che dello zio si considera continuatore. In un primo momento, per sostituire il finto cielo stellato dipinto da Pier Matteo d'Amelia, aveva pensato di raffigurare dodici giganteschE figure di apostoli nei peducci, e una semplice decorazione architettonica "all'antica" nella fascia centrale della volta (così come si vede nel disegno del British Museum e in quello, di pochissimo più tardi, di Detroit). Ben presto però il progetto diviene molto più articolato e complesso, probabilmente proprio per mettersi in relazione con le storie sottostanti. Da una architettura dipinta la grande volta viene partita verticalmente in tre grandi fasce: nella

Veduta d'insieme della volta (1508-1512) della Cappella Sistina.

Emerge qui il valore strutturale dell'architettura dipinta, priva di qualunque funzione illusionistica.

più alta, in riquadri alternativamente più o meno grandi, sono nove scene tratte dalla *Genesi*; ai lati delle più piccole, agìtati giovani ignudi reggono medaglioni di finto bronzo con altre storie bibliche. Nella seconda, poco più in basso, e cioè nei triangoli che spingono la volta, Profeti e Sibille (i veggenti che hanno previsto la venuta del Signore) siedono su troni: nella più bassa, composta dai triangoli e dalle lunette, gli antenati di Cristo e, ai lati, quattro eroi di Israele che hanno salvato il popolo ebraico, simboli della promessa messianica. Se il rapporto tra queste ultime due zone e le scene della vita di Mosè e di Cristo è evidente, anche le storie della *Genesi*, come ha già notato Calvesi, sono contenutisticamente da leggere in chiave di «prefigurazione» delle storie quattrocentesche sottostanti. L'essere la volta prefigurazione delle scene del *Nuovo Testamento* ne spiega anche il carattere generale: cosa esattamente ha voluto dipingere Michelangelo? E cioè: che cosa è la volta, non cercando di spiegarla scena per scena, ma nel suo complesso?

Nell'esaminare la parte già pulita dal recente restauro, emerge con chiarezza il valore strutturale dell'architettura, che, prima offuscata dal pesante strato di sporco e di grassi, entra in rapporto strettissimo, determinante, con le figure umane, così come doveva essere la tomba di papa Giulio. Anzitutto, non è sicuramente una "vera" architettura, un oggetto cioè visto dal basso, come dovevano essere invece le volte dipinte, proprio a Roma, dal Mantegna (in seguito purtroppo andate distrutte, ma che ai primi del Cinquecento certamente valevano come esemplari). Le mensole sulle quali poggiano gli ignudi divergono, non si concentrano in un unico punto di fuga: anche i troni dei Veggenti suggeriscono profondità contraddittorie. Al di là dell'architettura, ai due margini estremi, è un cielo azzurro che si confonde con quello rappresentato nelle storie della *Genesi*, che quindi non sono quadri riportati, anche se le storie minori sono incorniciate da modanature architettoniche. Perfino nelle scene bibliche non esistono rapporti di tipo proporzionale-prospettico: né architetture, né oggetti scaglionati in profondità consentono di misurare razionalmente lo spazio, come era invece nelle storie quattrocentesche, e in particolare nelle scene cristologiche. Tutto sembra volersi sottrarre, nella volta, così a determinazioni spaziali come a precise condizioni di illuminazione. Le ombre, lo si vede benissimo dopo il restauro, sembrano essere attributi della singola figura, indipendenti quindi dalle condizioni ambientali.

Ma cos'è una veduta che si sottrae così vistosamente, quasi programmaticamente, alle determinazioni di spazio e di luce? Una "visione", come era la *Pietà* della basilica vaticana, non mediata dai sensi, ma ottenuta tramite l'occhio, meno fallace e più sicuro, dell'intelletto. In quanto neoplatonica "visio intellectualis", non più "rap-presentazione", ma "pre-figurazione", la volta della Sistina è esattamente l'opposto delle visioni raffigurate, pochi anni dopo, dal Correggio, nelle quali l'ultraterreno si fenomenizza naturalmente (cioè secondo natura) qui e ora, in un clamoroso dispiegarsi ai sensi di chi guarda, pura immagine, tramite storico tra Leonardo e l'illusionismo barocco. In Michelangelo tutto procede non secondo natura, ma secondo la legge dell'interna contraddizione, dell'accostamento dei contrari. La mente collega fatti temporalmente distanti, ma concatenati nell'ordine filosofico-razionale: i veggenti prevedono, dunque sono contemporanei all'avvenimento da loro "pre-visto"; il diluvio e l'ubriachezza di Noè "pre-figurano" la venuta di Cristo, pertanto sono presenti a essa; gli ignudi hanno forma classica, perché in relazione con quanto accade nella volta. L'accostamento dei due avvenimenti annulla il tempo trascorso tra essi, così come lo scorcio annulla lo spazio tra due punti distanti, essendo unione del massimo di vicinanza con il massimo di lontananza.

Come lo scorcio è sottrazione alle condizioni di veduta prospettica in favore di una veduta più chiara, così lo straordinario cangiantismo scoperto dalla pulitura delle lunette altro non è che la sottrazione alle condizioni di illuminazione naturale: accostamento stridente di colori opposti, complementari, che non possono fondersi, gialli e blu, rossi, viola e verdi che "transcolorano", passano l'uno all'altro non per trapasso quantitativo-chiaroscurale, ma dandosi nella loro purezza qualitativa, timbrica. Siamo di fronte a una concezione che non possiamo non considerare polemica nei confronti dello sfumato leonardesco, che fonde, unisce colori albertianamente "amici": lo ha dimostrato il recente restauro del *Tondo Doni*, dipinto a Firenze intorno al 1507 che, tolta la spessa vernice ingiallitasi, ha rivelato la stessa splendida cromia da vetro soffiato della Sistina, la stessa poetica della contraddizione che sarà esemplare per Rosso e per Pontormo, lo stesso classicismo eroico nei nudi virili.

Ruth e Obed, lunetta tra la *Sibilla Persica* e il *Profeta Geremia* (1512 ca.). Roma, Cappella Sistina.

Il recente restauro ha restituito alle lunette la cromia originale.

Il ritorno a Firenze

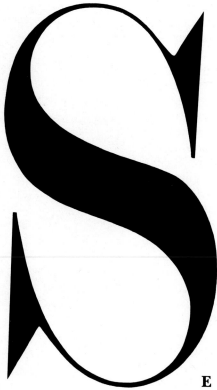

E LA VOLTA DELLA

Sistina è il punto di arrivo dell'intera attività giovanile di Michelangelo, il *Giudizio universale* dipinto sulla parete di fondo della stessa Cappella è il nucleo centrale della maturità. Tra le due opere intercorre il lungo periodo fiorentino, occupato ancora dai progetti per la tomba di papa Giulio, dalla facciata e dalla sagrestia nuova di San Lorenzo, dalla Biblioteca Laurenziana e, infine, dai disegni per le fortificazioni della città. Tutti i progetti per la sepoltura di papa Giulio (il secondo del 1513, il terzo del 1516, il quarto del 1526, il quinto del 1532, infine l'ultimo, eseguito nel 1545) non prevedono più una volumetria autonoma, né uno spazio interno: il riferimento non è più il mausoleo classico, ma la sepoltura cristiana quale si era configurata nel Medioevo. L'esperienza della Sistina e il fallimento del primo progetto sembrano aver bruciato l'entusiasmo per l'antico, il problema della storia, la sintesi delle arti. Gli *Schiavi* del Louvre, iniziati ancora a Roma nel 1513 per la seconda redazione della tomba, segnano il trapasso: derivano sì da forme antiche, ma l'ideale eroico non è più il nudo classico, bensì il san Sebastiano, guerriero cristiano. Le forme emergono dolorosamente dalla materia appena sbozzata al colore e alla luce, che assume un valore metafisico. Il *Cristo* della Minerva è un Apollo atteggiato in classico · contrapposto: esibisce però la Croce e gli strumenti della Passione non come attributi del trionfo, ma nella coscienza di un martirio subito per colpa degli uomini. Negli stessi anni, Sebastiano del Piombo elabora un simile tipo di immagine sacra in alcuni dipinti, come la *Pietà* e la *Flagellazione,* probabilmente proprio su disegni e consigli di Michelangelo.

Il rapporto non è più con l'anziano Leonardo, ma col più giovane Raffaello e la sua attivissima scuola. Il confronto, a distanza pur nello stesso Palazzo vaticano, tra la volta della Sistina e ·le contemporanee stanze per Giulio II, diviene più stringente nei due progetti per la facciata di San Lorenzo, in concorrenza tra loro. Il confronto tra i due disegni (già noti quelli di Michelangelo, di recente identificato dal Tafuri quello di Raffaello) dimostra che il dibattito tra l'urbinate e il fiorentino è sui rapporti tra le arti e sulla natura della lingua. L'istituzione di questa è, secondo la tesi raffaellesca, aristotelica-

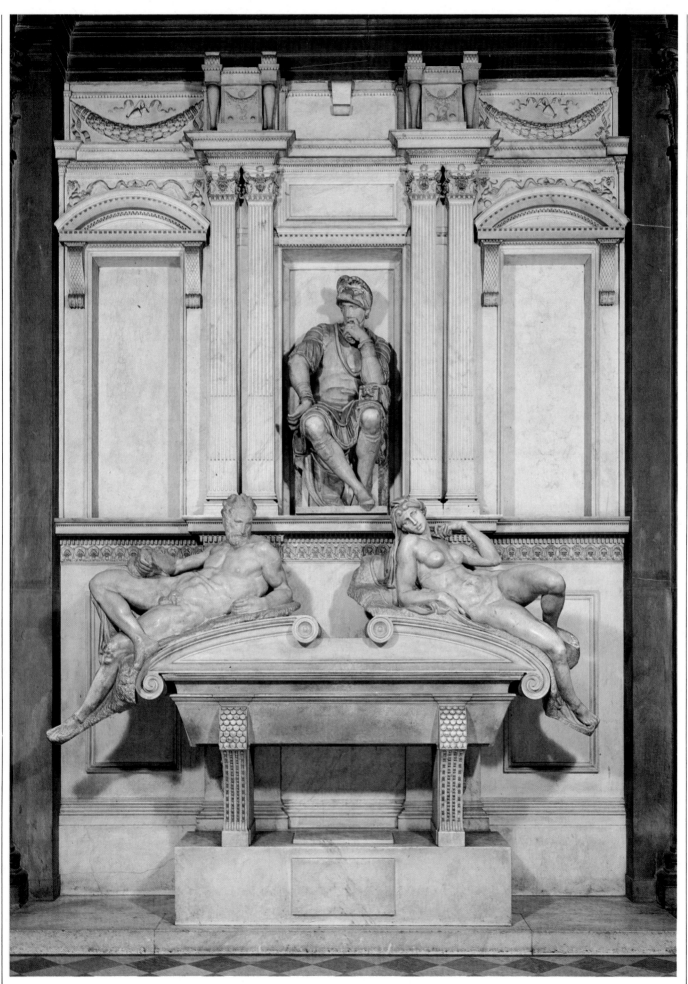

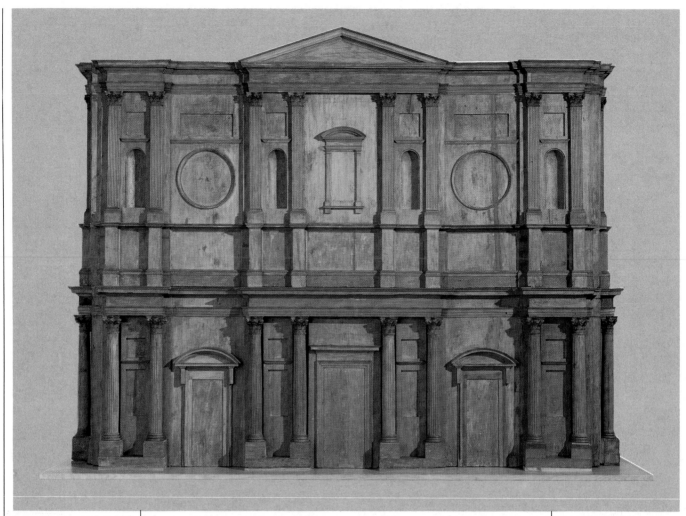

mente dovuta a convenzione, mentre, secondo Michelangelo, essa nasce platonicamente secondo natura; in prosa, la prima equivale all'italiano artificialmente costruito scegliendo tra i vari dialetti della penisola, la seconda si schiera in favore della supremazia del toscano di Dante, Petrarca, Boccaccio. Il progetto di Raffaello, identificato in una copia realizzata da Aristotele da Sangallo, è una raffinatissima esercitazione tutta interna alla artificialità della lingua architettonica: il passato è l'autorità vitruviana da convalidare con l'esperienza delle rovine romane, che può giustificare così neologismi e licenze; scultura e architettura sono due arti con un loro proprio, autonomo statuto. La facciata di Michelangelo, che la vuole «di architettura e scultura specchio di tutta Italia», è del tutto indipendente dall'interno brunelleschiano, oggetto plastico che si articola non in dipendenza, ma in accordo profondo con la scultura, della quale condivide l'intima essenza di espressione esistenziale.

Nella Sagrestia Nuova di San Lorenzo, l'architettura diviene protagonista al pari della scultura: Michelangelo rievoca la sagrestia vecchia, disegnata dal Brunelleschi quasi un secolo prima. Ma le pareti, che nell'esempio quattrocentesco erano semplici piani di proiezione, geometriche sezioni dell'intercisione prospettica, in Michelangelo acquistano valore di limite, costrette come sono dalla forte intelaiatura plastica degli archi e delle paraste (e dallo strano stipite cui queste ultime si addossano). Limite dal quale affiorano, come per compressione, le tombe e gli elementi architettonici, le edicole dal forte risentimento plastico, le finestre dell'attico (una novità assoluta rispetto al Brunelleschi) fortemente rastremate verso l'alto, i marcapiani formati quasi da cordoni di pasta che lievita in avanti.

Nonostante alcune differenze con il contratto del gennaio 1518, il modello è da considerare, come ha dimostrato James Ackerman, molto vicino alla soluzione michelangiolesca.

In uno spazio così "non-naturale", rivelato da una luce che entra diagonalmente dalle finestre (più alte all'esterno che all'interno) per specchiarsi sul rivestimento marmoreo delle pareti, non stupisce l'importanza assunta dalla raffinatissima decorazione, non solo dei dettagli architettonici, ma anche degli stucchi e degli affreschi di Giovanni da Udine, scomparsi già nel Cinquecento.

Della rivoluzionaria novità dell'ornato, indice del profondo antinaturalismo dello spazio michelangiolesco, si accorse lo stesso Vasari, che sottolinea l'«ornamento composito, nel più nuovo modo che per tempo alcuno gli antichi et i moderni maestri abbino potuto operare; perché nella novità di sì belle cornici, capitegli e base, porte, tabernacoli e sepolture fece assai diverso di quello che di misura, ordine e regola facevano gli uomini secondo il comune uso e secondo Vitruvio e le antichità, per non volere a quello agiugnere».

E che non si trattasse di mere licenze che, contraddicendola, confermano la validità della regola, lo dimostra la Biblioteca Laurenziana: anche in questo caso vale l'equazione michelangiolesca "architettura eguale energia", che è compressa nella sala di lettura, dirompente nel ricetto, in cui la scala viene quasi vomitata dall'alto, espandendosi a forza nello spazio angusto che ne subisce l'irruzione. Le colonne si incassano con violenza nel muro, arretrandone e articolandone i piani, le modanature architettoniche escono con forza in fuori, sotto la spinta della scalinata, i cui gradini si curvano a indicarne ulteriormente l'espansione; lo spazio del ricetto, dall'altezza sproporzionata, si contrae angosciosamente. La sala dei libri rari, studioso luogo di stasi previsto dopo la lunga sala di lettura, doveva essere uno spazio triangolare, dalle pareti fortemente modellate: congelato e raccolto in contrapposizione all'irruenza del ricetto, mediazione tra la verticalità del vestibolo e l'orizzontalità della sala di lettura, avrebbe dimostrato che lo spazio (uno) si articola modellandosi in forme diverse (molte).

I disegni per le fortificazioni di Firenze sono l'ultima opera intrapresa da Michelangelo per la sua città: cacciati i Medici nel 1527, il governo repubblicano gli affida l'incarico di migliorare le difese in vista dell'inevitabile revanche medicea. Disegnando porte e bastioni, ma ancor più meditando machiavellicamente sulle virtù del popolo in armi che difende la propria libertà, egli concentra l'attenzione sull'azione aggressiva delle artiglierie più che sulla funzione statica di protezione dei difensori. Formandosi le strutture secondo le diverse traiettorie di tiro, ed essendo concepite per emettere energie, ne consegue l'interno dinamismo e lo zoomorfismo delle forme: salienti curvi a forma di chele protese a divorare i nemici, bastioni come granchi appostati sulle colline a contrastare l'attaccante, edifici a forma di stelle pulsanti che sputano geometrici fuochi.

I contrasti e i sospetti di tradimento che serpeggiano all'interno dei difensori della città, il lungo assedio (dall'ottobre 1529 fino all'agosto successivo), il timore per la vendetta medicea segnano profondamente Michelangelo: fuggito a Venezia, poi tornato a Firenze per participare all'ultima resistenza, si nasconde nella città caduta in mano agli imperiali, braccato dai sicari, vedendo i suoi amici repubblicani giustiziati o imprigionati, fino al perdono di Clemente VII concesso in novembre, in cambio della prosecuzione dei lavori di San Lorenzo.

Ma è terminata un'epoca, chiusa definitivamente una esperienza: pochi anni dopo, morto il papa Medici, egli abbandona ancora una volta Firenze, per tornare, per sempre, in una Roma ancora sconvolta dal Sacco del 1527, nella quale è salito nel frattempo al soglio Paolo III.

In alto:
Il giorno (1526-1531), particolare della tomba di Giuliano de' Medici. Firenze, San Lorenzo, Sagrestia Nuova.

Qui sopra:
L'aurora (1524-1527), particolare della tomba di Lorenzo de' Medici. Firenze, San Lorenzo, Sagrestia Nuova.

La notte (1526-1531), particolare. Firenze, San Lorenzo, Sagrestia Nuova. **La statua è collocata sul fianco sinistro del sarcofago di Giuliano de' Medici, ed è tra le prime sculture eseguite per il complesso delle tombe medicee. La posa della figura, con il capo reclinato sulla mano, si ritrova in altre opere michelangiolesche, come la distrutta *Leda*, e allude probabilmente all'umore melanconico.**

Il pontificato
di Paolo III

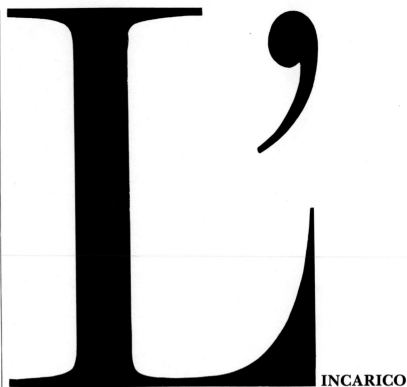

Marcello Venusti,
Giudizio universale.
Napoli, Capodimonte.
Copia dell'affresco
michelangiolesco prima
degli interventi di
Daniele da Volterra
(1564).

L'INCARICO
di affrescare la parete di fondo della Cappella Sistina con una resurrezione risale, probabilmente, al 1533; ma solo tre anni dopo, sciolto con un motu proprio papale dagli impegni con gli eredi di Giulio II per tutto il tempo necessario alla realizzazione della nuova impresa, Michelangelo si accinge al lavoro.

A differenza della volta, non sarà più una architettura dipinta a raccordare il vano costruito alle storie affrescate: anzi, le lunette già dipinte nel 1512 vengono distrutte, assieme alla sottostante *Assunzione* del Perugino, per non delimitare con una incorniciatura architettonica uno spazio della rappresentazione, per non fingere un quadro riportato. La parete si dà in questo modo come una grande pagina bianca, quali erano le controfacciate delle chiese medioevali.

Altro che sintesi delle arti e di antico e moderno: la storia umana termina con l'imperioso gesto di un Cristo giudice, arbitro inappellabile del bene e del male, della salvezza e della grazia eterna. Sono i temi sui quali si era prodotta la scissione dell'ecumene cristiana, che a questa data non può più essere considerata una disputa tra un ignorante monaco agostiniano tedesco e i dotti teologi papisti: il Sacco del 1527 ha dimostrato quanta presa abbia la predicazione luterana, come il diffuso odio per Roma e per il suo pontefice possa giungere a violare la Città Eterna, i suoi monumenti finora oggetto di studi, le sue reliquie oggetto di venerazione.

Nel dipingere un tema di tale portata teologica, Michelangelo non ha aiuti né consiglieri, non illustra testi religiosi, non ha fonti se non la *Bibbia* e il «suo familiarissimo» Dante: ma è già in contatto con Vittoria Colonna e con i circoli della riforma cattolica che insistono sulla importanza della fede nel processo salvifico. Non accetta neanche un'antica tradizione iconografica, che prevedeva in alto Cristo in trono circondato dalla sua corte di santi e di angeli, e più in basso gli eletti a destra e i reprobi a sinistra.

A prima vista, il *Giudizio* sembra non avere alcuna struttura, essere quasi il prodotto informe di una esplosione: raggruppamenti di figure turbinano attorno al Cristo giudice, isolato in un alone luminoso, lasciando ampi vuoti di cielo turchino. Più tardi

Giudizio universale
(1537-1541).
Roma, Cappella Sistina.
**Dal confronto con
l'opera del Venusti
emergono sia gli**

**interventi
censori
postconciliari
(gennaio 1564) sia
l'offuscamento della
cromia originaria.**

Conversione di
San Paolo (1542-1545).
Roma, Palazzi vaticani,
Cappella Paolina.

ci si rende conto che il turbinio ha un senso circolare, che inizia a sinistra, da dove gli eletti ascendono lentamente verso l'alto, attratti dal gesto divino, mentre il braccio sinistro di Cristo dà il via al precipitare, dall'altro lato, dei dannati. Tutto ruota dunque intorno alla figura del Dio giudice, Nomos, Legge, verso la quale convergono anche gli sguardi dei santi, il timido gesto di intercessione della Vergine, e i pesanti strumenti della Passione minacciosamente agitati dagli angeli. Come nell'oratoria sacra, tutto si sostiene retto solo da un ritmo incalzante: non c'è prospettiva né accordo cromatico, i grappoli dei nudi si uniscono e si separano, si slabbrano e si tangono subendo la doppia forza di attrazione alto-basso, cielo-terra, Cristo-inferno, si dispongono lungo assi spaziali divergenti dal grande vuoto centrale, ma coordinati dalla figura del Cristo-Apollo.

Allo stesso modo, nella contemporanea sistemazione del Campidoglio, l'inclinazione divergente dei due palazzi doveva essere coordinata dal pavimento attraverso il disegno a ellissi intrecciate e raccordata al Palazzo Senatorio dall'elastica scalinata protesa nella piazza, e il profondo vuoto dei portici si raccordava al cornicione sporgente tramite l'ordine gigante.

*Crocifissione di
San Pietro* (1545-1560).
Roma, Palazzi vaticani,
Cappella Paolina.

Sotto:
scalinata del Palazzo
Senatorio (1540 ca.).
Roma, Campidoglio.
**La scalinata del
Palazzo Senatorio
è una delle
poche parti
in cui è sicuramente
riconoscibile la mano
di Michelangelo.
Il Palazzo dei
Conservatori fu
eseguito infatti da
Giacomo della Porta su
disegni del maestro,
mentre
il Palazzo Nuovo
venne realizzato nel
secolo successivo.**

Come mancano prospettiva e accordo cromatico, così i nudi del *Giudizio* non hanno più né la dignità classica delle figure della volta, né le eleganti proporzioni allungate del periodo fiorentino (quali, per esempio, quelle della *Vittoria* di Palazzo Vecchio). Ormai sono immediatamente espressivi della situazione o condizione esistenziale delle persone: terrosi, pesanti, impastati di fango i corpi dei dannati, dall'aspetto volgare e grottesco i demoni, più slanciati gli eletti, eroici ma non fieri i santi, sgomenti anch'essi della terribilità dell'evento.

Se il *Giudizio* della Sistina, luogo ufficiale dell'intera cristianità e legato all'autorità del pontefice, è pubblica oratoria sacra, i due affreschi dipinti per la cappella privata di Paolo III sono pura lirica religiosa. Al terrore per l'inesorabilità della legge e alla identificazione di autorità e giustizia succede l'esempio della conversione e del martirio, i due momenti essenziali della vita del cristiano; sarebbero potute essere due rappresentazioni storiche, ma la storia è legata, comunque, al mondo, e il mondano, nel luogo di meditazione e di incontro diretto e personale del papa con Dio, non può avere diritto di accesso. La conversione di Paolo e il martirio di Pietro non sono esempi edificanti o ammonimenti a una vita santa, ma soggetto di meditazione sulla pesante responsabilità di chi, eletto al trono di Pietro, ha preso il nome di Paolo. Nella conversione di Saulo, il centro (che nel *Giudizio* era un gran vuoto) è svuotato come da un risucchio, quasi ricordando la composizione della *Battaglia di Cascina*: fugge in profondità il cavallo, il cui scorcio raccorda immediatamente il cielo e le lontane colline con il primo piano, viene tutto in avanti, quasi a protendersi fuori dalla superficie dipinta, il pesante corpo di Saulo, a stento trattenuto da due figure; dall'alto precipita, anch'egli in scorcio audacissimo, un Cristo pura luce, che non illumina naturalmente la scena, ma sottolinea solo la frattura verticale della composizione. Ai due lati, in terra come in cielo, gli astanti e gli angeli si fanno da parte, schizzando verso l'esterno, per lasciare spazio all'incontro tra Dio e Paolo.

Nella *Conversione* tutto manifesta la tremenda, sconvolgente presenza di Dio, nella *Crocifissione di San Pietro* tutto parla della sua desolante assenza. L'orizzonte è alto, tutto si svolge in terra, il cielo è quasi assente: a differenza dei martirî controriformistici e poi barocchi (affollati di angeli svolazzanti con palme e con Dio in alto ad accogliere chi ha meritato la grazia tra i beati), qui Pietro è solo, non v'è certezza alcuna, al momento del trapasso, di un'altra vita, il supplizio è tragica e solitaria avventura spirituale, ultima prova dell'anima cristiana. Manca quasi il respiro; il muto accalcarsi di gruppi di astanti non costituisce scena, palcoscenico, anzi sottolinea la solitudine di Pietro. Fulcro della composizione è la splendida figura dello sterratore — ricordo di un Masaccio sempre presente — raggomitolato in terra, che scava la buca dove sarà confitta la croce; riprendendo, in senso contrario, la curvatura della figura, Pietro si torce sul legno, e il suo gesto a destra e a sinistra è ampliato e ripreso dai torturatori in un'ampia falcata, cui si contrappone il forte scorcio della croce, la cui diagonale attraversa l'intero riquadro, collegando terra e cielo. I colori — per quanto si può giudicare dopo i molti restauri antichi — sono chiari, stridenti, acri, dissonanti; la "tinta" non è più una qualità del corpo, né un modo delle superfici di reagire alla luce, ma essenza spirituale, cromia che può prevedere anche il suo contrario, il completo azzeramento, l'accostamento con l'assoluta assenza di colore, ultima testimonianza del disfarsi, quasi allo stato di larva, dei corpi. La Paolina si pone così quale ultimo, e definitivo, capitolo della lunga polemica michelangiolesca con l'arte come "mimesis" aristotelica, cioè come imitazione rappresentativa della realtà.

Gli ultimi anni

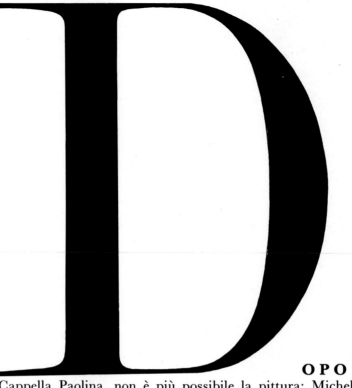

OPO LA
Cappella Paolina, non è più possibile la pittura; Michelangelo
smetterà di dipingere — lo annuncia in una lettera a Vasari —,
affermando la pittura non essere attività da vecchi; e vecchio
certamente era, Michelangelo, a settantacinque anni, quanti ne
aveva al termine della *Crocifissione*. Ma, soprattutto, oltre la
Paolina è solo l'indicibile: anche la scultura, dopo la deludente
conclusione della Tomba di Giulio II, realizzata in San Pietro in
Vincoli nel 1545, e il *Bruto* del Bargello, che ha la fermezza
morale delle figure del *Giudizio*, altro non sarà che attività
privata, intima meditazione sulla propria morte, con le ultime,
laceranti *Pietà*. Arte dell'indicibile è l'architettura, che non
abbisogna della screditata figuratività: nascono così i progetti per
San Giovanni dei Fiorentini, la Cappella Sforza in Santa Maria
Maggiore, Porta Pia, Santa Maria degli Angeli, San Pietro.
  Le prime due sono riflessioni sul mito rinascimentale della
pianta centrale, generata però in Michelangelo dinamicamente
da direttrici assiali, e non impostata sull'accostamento di forme

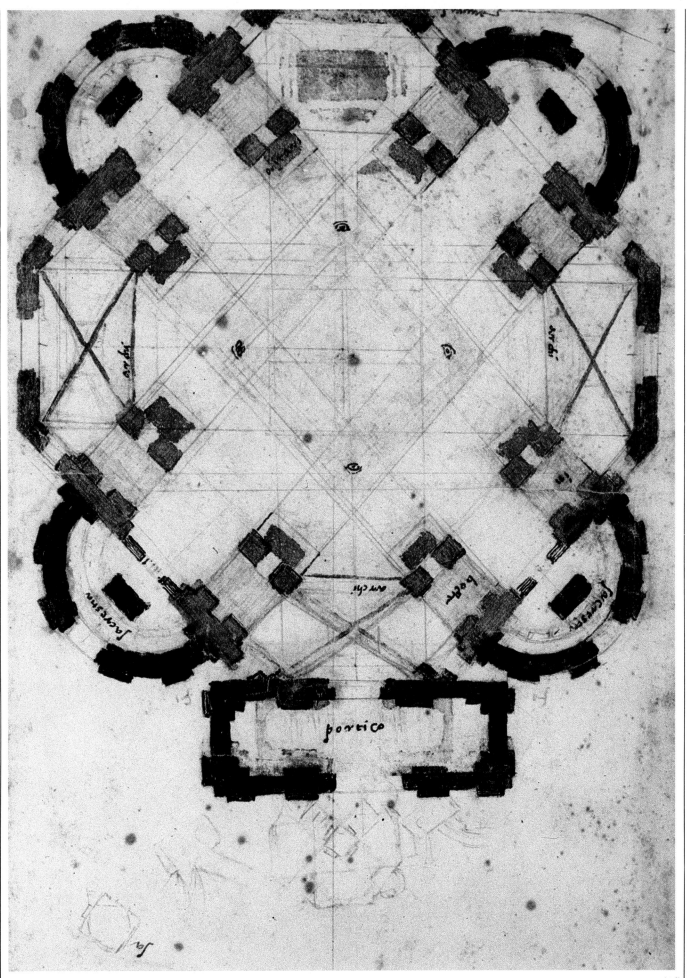

portico

31

Nella pagina a fianco:
San Pietro in Vaticano,
veduta della cupola.
**Alla fase
michelangiolesca
risale
solo la costruzione del
tamburo.
Il problema
della cupola,
soprattutto per quel
che riguarda il profilo
della curvatura,
assillò gli ultimi
anni di Michelangelo.
La calotta e la lanterna
furono realizzate da
Giacomo della Porta.**

Sopra:
Porta Pia (1561)
a Roma

geometriche regolari: i molti studi per San Giovanni dei Fiorentini propongono la dilatazione di un vuoto centrale negli spazi delle cappelle perimetrali e nei vani di ingresso, che avrebbe animato, modellandole, le superfici dei muri; nella Cappella Sforza l'incrocio diagonale di due assi fa avanzare drammaticamente nello spazio centrale le colonne, che lo serrano in una morsa ferrea. Nella Porta Pia, l'interesse è rivolto al solo portale e alle finestre cieche (gli altri dettagli, non autografi, sono aggiunte di infedeli continuatori), considerando la facciata come superficie neutra, mera cortina muraria che prosegue le mura preesistenti. Esplicita è la denuncia della fatuità della lingua architettonica: come classificare l'ordine improbabile del portale? E soprattutto, nella sostituzione delle colonne a tutto tondo con paraste scanalate, c'è l'ultima rinuncia alla similitudine tra architettura e scultura: sottoponendosi a una veduta da lontano, quasi a fare da quinta o sfondo, il portale si schiaccia, diviene bidimensionale, offrendosi alla pittorica modulazione della luce.

Le opere certamente più sconvolgenti sono le ultime che occupano l'anziano Michelangelo: la cupola di San Pietro e Santa Maria degli Angeli. Alla tettonica delle prima si contrappone l'antiarchitettura della seconda: alla «grandissima vergogna e a l'animo grandissimo peccato» del non terminare l'una, l'intervento quasi solo simbolico sulle terme di Diocleziano, il modificare con pochissimi ritocchi alle mura e all'illuminazione il senso, e l'orientamento. Proprio dallo scandalo della vendita delle indulgenze, il cui ricavato doveva finanziare la costruzione della nuova basilica vaticana, era derivata l'eresia luterana; più tardi, Antonio da Sangallo il giovane aveva fatto della fabbrica di San Pietro una sinecura per sé e una rendita per la sua setta. Accettando controvoglia, nel 1546, l'incarico di architetto della fabbrica, Michelangelo pone come condizione la totale gratuità della sua opera. Con interventi minimi trasforma il già costruito, riportando a unità la frammentarietà sangallesca: si richiama alla pianta centrale del Bramante, pur modificandone il progetto nell'accentuare la plasticità delle masse. La cupola è l'ultimo confronto con Firenze e la tradizione umanistica: certo è il riferimento a Santa Maria del Fiore, presente fin dall'inizio, della cupola della quale giunge a chiedere le esatte dimensioni. Se Brunelleschi aveva slanciato la sua «erta sopra i cieli», forma rappresentativa dello spazio universale, Michelangelo concepisce quella di San Pietro come forma simbolica della tensione verso Dio. Nasce dall'incrocio della pianta centrale, viene portata su dallo stringersi dei corpi laterali, tesi, cinghiati come fasce elastiche: sorge infine su un tamburo cui le coppie di colonne imprimono una forza rotante, dando origine ai sedici costoloni, numero doppio rispetto a quella del Brunelleschi, al fine di ridurre la superficie inerte portata delle vele e sottolineare l'effetto di controspinta delle rilevate nervature. Il problema della curvatura assilla Michelangelo, che elabora più soluzioni, rinviando la soluzione definitiva sino al momento finale: ma ancor più della curvatura, la questione sta nel rapporto tra cupola e lanterna, che deve raccoglierne le spinte, riassumerle, equilibrandole senza tuttavia placarle. È l'ultimo atto del dramma della sepoltura, di quella Tomba di Giulio II che aveva pensato nella basilica sottostante: non finirla sarebbe vergogna grave, ultimo scacco di una vita identificata nell'arte, e di un'arte che si è sempre identificata nel flusso dell'esistenza.

Per fissare il "suo" progetto, preoccupato dall'avanzare dell'età, esegue un modelletto in argilla, poi un grande modello in legno, conscio dell'impossibilità di tradurre nella "grafia" di disegni o piante un'idea fortemente plastica. Termina il lavoro nel novembre 1561; meno di tre anni dopo, muore.

MICHELANGELO ARTISTA E POETA
di Giulio Carlo Argan

Copia del *Tributo*
di Masaccio nella
Cappella Brancacci
in Santa Maria
del Carmine a
Firenze (1488-1495).
Monaco,
Kupferstich Kabinett.

Nella pagina a fianco:
Il ratto di Ganimede,
(1530 ca.).
Cambridge
(Massachussets),
Fogg Art Museum.

Michelangelo fu indubbiamente uno dei grandi creatori del Manierismo, ma fu ancora più manierista in poesia che in pittura o scultura, dove l'impeto dell'invenzione e la straordinaria sicurezza della tecnica travolgevano la puntigliosa acribia del dettato. Che l'estrema intensità dell'esperienza esistenziale e l'autenticità del mai domato contrasto di scottante erotismo e di disperata tensione religiosa traspaiano con anche maggior vivezza attraverso la sfaccettata cristallografia del verso vide benissimo Walter Binni, che ha dato finalmente a Michelangiolo il posto di primissimo piano che gli spetta nella storia della lirica cinquecentesca. Considerò anche la relazione tra le rime e le lettere, scritte evidentemente senza il minimo intento di bello stile, disegnando così la figura di un "Michelangelo scrittore", che fu poeta senza essere un letterato. Di non essere letterato affermò più volte egli stesso, né soltanto per la falsa modestia per cui diceva di non essere un architetto e perfino un pittore. Ebbe una sua formazione letteraria: le prime poesie tradiscono l'influenza diretta delle rime rusticane e popolaresche di Lorenzo il Magnifico e del Poliziano, nonché spunti religiosi derivati dal Savonarola e dal Benivieni. Lesse e rilesse i grandi del Trecento, Dante e Petrarca, e seppe confrontare, qualche volta abilmente intrecciare, i due modelli. È noto che l'attività poetica si svolse per tutto il lungo arco della sua attività di scultore, pittore, architetto: i primi componimenti noti sono del 1502, gli ultimi successivi al 1560. In qualche momento furono più frequenti, in altri meno, dipendeva anche dai lavori che aveva in corso. Il fatto che molte poesie siano scritte su fogli che recano disegni o schizzi fa pensare a uno stretto legame tra l'opera figurativa e quella poetica: un nesso certamente indiretto e forse anche occasionale, che tuttavia permette di constatare anche visivamente un certo parallelismo o, comunque, un'analoga ricerca di chiarire e definire ciò che chiamava un "concetto". Non può certo sorprendere che, non meno della figurazione plastica e pittorica, la poesia mostri la consapevolezza ch'ebbe l'artista delle contraddizioni che costituivano il dinamismo del suo pensiero: ossequio all'autorità e bisogno di contestarla, censura e trasgressione, misticismo ed erotismo ugualmente esaltati, orgoglio e automortificazione. È ben chiaro che il rapporto non è quello, indicato dal Clements,

Filippo Brunelleschi, cupola di Santa Maria del Fiore a Firenze.

dello "ut pictura poësis"; Michelangelo non disse le stesse cose servendosi di arti diverse: ciò che disse con le parole non poteva ugualmente esser detto con le immagini visive, e poiché concepiva il pensiero come un'assoluta unità, la poesia rivela quale fosse, nell'unità del suo sistema concettuale, il valore del nome, della parola, del verbo. Non è importante stabilire se, alla parola, spettasse un ruolo di maggiore o minore rilievo: è importante accertare la sua necessità o, in altre parole, dimostrare che la sua pittura e la sua scultura sarebbero state diverse se all'evidenza dell'immagine plastica o pittorica non fosse stata in qualche modo sottesa la chiarezza del nome o della parola; e se, a sua volta, la parola non avesse sentito l'attrazione dell'immagine visuale.

Il problema si pone dunque in termini storici.

La disputa circa la lingua è stata al centro, nel Quattrocento e nella prima metà del Cinquecento, di tutta la cultura umanistica: già nella prima impostazione, di scelta tra latino e volgare, coinvolgeva la questione di fondo della definizione del modo di espressione e comunicazione di una società che si voleva e si sentiva nuova e moderna. La sua modernità era ben diversa dal modernismo, dal tecnicismo, dall'internazionalismo che si erano affermati nel Trecento con la diffusione del gotico. Non ricusava, al contrario, il rapporto col passato se non come tramandarsi

La cupola del Duomo di Firenze è il compimento del progetto di Arnolfo di Cambio con cui era iniziata la costruzione della chiesa. Con il suo intervento, Brunelleschi trasforma l'edificio gotico in un corpo plastico che definisce anche ideologicamente lo spazio circostante.

Prospetto della scarsella del Battistero di San Giovanni Battista a Firenze.

La scansione geometrica delle superfici, tipica del romanico fiorentino, si riallaccia alla tradizione architettonica della tarda classicità.

quasi ereditario di un'antica cultura di cui, almeno formalmente, si riconosceva a priori l'autorità.

La cultura umanistica, come cultura di una borghesia che aspirava al potere politico e alla direzione culturale, ricusava una tradizione come quella che implicava il riconoscimento di un principio d'autorità; voleva invece il recupero deliberato e volontario dell'antico, il ritorno alla fonte. Il vero moderno non era quello che si presentava come progresso e sviluppo attuali, estremo raffinamento di una tradizione, ma quello che voleva la conoscenza diretta dell'antico, e il confronto. Quando Brunelleschi costruì la cupola di Santa Maria del Fiore inventando una tecnica non simile ma paragonabile a quella degli antichi, non realizzò un progresso, ma una vera e propria rivoluzione rispetto all'avanzatissima tecnica costruttiva del gotico detto internazionale. Ed era logico che con la rinuncia al modernismo internazionale gotico (dunque francese e tedesco) si ritornasse alla fonte latina, non più universale, ma localizzata: né tanto a Roma, il cui decadimento pareva irreversibile, quanto a Firenze: nulla pareva al Brunelleschi più vicino all'architettura antica che il romanico fiorentino.

Fin da principio si vide che il problema della lingua, come comunicazione verbale, andava di pari passo con quello dell'arte, come comunicazione visiva: a istituire o, almeno, a teorizzare la

nuova idea dell'arte come conoscenza, fu Leon Battista Alberti, che fu anche un grande assertore della dignità letteraria e delle possibilità poetiche del volgare: il trattato della pittura è del 1436 e il *Certame Coronario*, prima gara di poesia in volgare, del 1441. E l'Alberti, non si dimentichi, fu forse la maggior fonte della cultura specificamente artistica di Michelangelo.

Nella prima metà del Cinquecento la disputa circa la lingua impegnò pressoché tutti i letterati italiani: era un problema cruciale non solo della cultura ma della società del tempo, e certamente non si riduceva alla scelta, ormai decisa, tra i pedanti fautori del latino e i più illuminati sostenitori del volgare: assai prima del Bembo, autorevole mediatore tra tesi diverse, Erasmo aveva riconosciuto che la complessità della morale cristiana, del pensiero, della ricerca scientifica moderna non potevano più compiutamente esprimersi nella lingua di una civiltà grande, ma spenta. Era risorta, è vero: ma la resurrezione di Lazzaro dimostrò il potere sovrumano di Cristo, non l'immortalità di Lazzaro. Era logico che il latino rimanesse il linguaggio della Chiesa, forse di tutte le istituzioni che si volevano conservate; era la lingua dell'autorità. Il volgare era la lingua della libertà e dell'attualità: ma si trattava di stabilire quale fosse la sua radice storica, quale la sua struttura linguistica. La rettorica persuasiva del discorso ciceroniano, la concentrazione concettuale di Dante, la vivacità narrativa del Boccaccio o l'armonia fonetica del Petrarca, o addirittura la registrazione scritta del linguaggio parlato, come nei *Ragionamenti* dell'Aretino?

Michelangelo non partecipò in proprio al dibattito sulla lingua, ma non poté non esserne al corrente: d'altra parte la disputa s'era presto estesa dalla letteratura alle arti figurative. Naturalmente l'arte dell'Umanesimo ricercava e studiava l'antica arte romana, era quello il suo latino: qual era il rapporto di quell'antico con il moderno? Per l'architettura, il problema era ancora più stretto: tutto il suo lessico era dedotto dall'antico. Si poteva fare un'architettura nuova con parole antiche? E se nuova era la sintassi con cui le forme antiche facevano architettura nuova, quali alterazioni avrebbe portato nelle forme dedotte dall'antico? Non era anche questo un problema della lingua?

Il problema della lingua, soprattutto se ricondotto all'altissima dignità data al volgare da Dante e da Petrarca, si legava inevitabilmente al problema, altrettanto dibattuto, della fiorentinità: interessi politici, prima ancora che linguistici e letterari, mossero Machiavelli a scrivere il *Dialogo intorno alla nostra lingua*.

Il tema della Madonna con il Bambino, sant'Anna e san Giovannino venne affrontato in più riprese da Leonardo. Nel cartone della National Gallery, l'artista ricrea il senso classico della bellezza, non solo nei volti delle due donne, definiti "prassitelici" dal Berenson, ma soprattutto attraverso il perfetto equilibrio compositivo. L'uso dello sfumato inserisce armonicamente le figure nell'atmosfera fisica.

E il rapporto teso, ma inevitabile, di antichismo e fiorentinità era stato il motivo costante della scultura di Donatello, fin dai primi decenni del Quattrocento: Michelangelo, che ne discese attraverso il Bertoldo, e non cessò mai di ammirarlo, lo capì perfettamente in quel giovanile rilievo, *La Madonna della scala*, in cui volle unire la maestà del classico alla concisione stringente, tutta fiorentina, del rilievo schiacciato donatelliano. Non bastassero l'attaccamento affettivo al padre e ai fratelli e l'orgoglio della propria casata nobile e decaduta, tutta l'opera di Michelangelo, anche e specialmente la romana, mostra la precisa e, sotto sotto, polemica volontà di essere e rimanere fiorentina. Lo mostra

Leonardo da Vinci, *Sant'Anna, la Madonna, il Bambino e San Giovannino* (1499 ca.). Londra, National Gallery.

*Sant'Anna, la Madonna
il Bambino e San
Giovannino* (1501).
Oxford, Ashmolean
Museum.
**Il disegno di
Michelangelo
si ispira al modello
leonardesco.**

altrettanto bene la sua opera poetica, dove sono abbastanza frequenti e sicuramente intenzionali le locuzioni vernacole e le brusche contrazioni sintattiche d'indubbia estrazione fiorentina. Non era nel suo carattere farlo per puro gusto del pittoresco.

Perché dunque fece poesia, ricusando tuttavia di essere un letterato? Poterono esserci, almeno al principio, motivi occasionali. Michelangelo fu sempre attento a quello che facevano i contemporanei e, fra questi, specialmente a Leonardo, che non amava, ma di cui riconosceva la levatura pari alla propria. Tra i motivi della tensione c'era anche il "tradimento" di Firenze per Milano, nel 1481; ma, a un livello assai più profondo, la relazione

Giudizio universale
(1537-1541), particolare
con la Resurrezione
della carne.
Roma,
Cappella Sistina.

che Leonardo poneva tra arte e ricerca scientifica, l'impiego del disegno come mezzo d'indagine invece che come certa definizione formale, il sentimento della natura come realtà indefinita, problema da indagare invece che difficoltà da superare. Le forme di Leonardo non avevano certamente equivalenti verbali, mancavano proprio di ciò che Michelangelo cercava: uno stato di assoluta unità dello spirito per cui l'immagine visiva implicava concetto e parola, e il concetto e la parola avevano l'immediata e totale evidenza dell'immagine visiva. Per Michelangelo, di certo, la pittura non era poesia muta; pittura e poesia erano due diversi modi di eloquenza, forse fece poesia per marcare la diversità.

Più tardi il termine di confronto fu Raffaello, che accettava bensì la necessità della relazione tra espressione visiva e verbale, ma, più che alla condensata concettualità della parola, mirava alla dimostrativa articolazione del discorso. Infine, il modello di Raffaello era la rettorica di Cicerone, il modello di Michelangelo la "vulgaris eloquentia" di Dante. La differenza era tanto più stridente in quanto Michelangelo e Raffaello lavorarono per più di dieci anni a Roma per gli stessi pontefici, negli stessi palazzi

La concezione dello spazio in **Raffaello** è epitome di una ricerca di armonia e di recupero trionfale del mondo antico. Nel *Giudizio universale*, a meno di trent'anni dal compimento delle **Stanze**, lo spazio si è trasformato in un vorticoso dinamismo nel quale si svola terribile il Cristo Giudice. Il tema si riallaccia a una tradizione toscana (**Signorelli**) e riprende, nella crudezza degli accenti, immagini dell'*Inferno* dantesco.

vaticani, con lo stesso proposito di dare, con l'arte, forma visibile allo stesso credo religioso, in quel momento già minacciato dalla grave crisi della Chiesa romana. Raffaello pensava Dio rivelato nell'ordine provvidenziale della natura e della storia: secoli e secoli di errori umani avevano offuscata e confusa la rivelazione; con la ricerca del bello l'arte la liberava dalle deformanti contraddizioni, la riportava alla chiarezza della proporzionalità delle forme che rifletteva l'ordine dell'intelletto creativo. Il bello non era altro che l'evidenza di quell'ordine proporzionale, la sua rivelazione: era cioè un sovrappiù rispetto alla stessa verità del dogma, poiché era anche il segno della volontà di Dio di uscire dal mistero e comunicarsi agli uomini procurando la loro salvezza. Per Michelangelo, anche natura e storia erano realtà date e sapute, ma proprio perciò da superare per trovare con Dio un contatto non mediato dall'esperienza sensoria. Era una rivelazione, per così dire personale, all'artista prescelto per comunicarla al mondo; le forme e le parole, dunque, non soltanto comunicavano, ma attuavano la volontà divina della rivelazione. Dovevano perciò essere note e, nello stesso tempo, cambiare,

Raffaello,
Scuola di Atene
(1509-1510),
particolare.
Roma,
Palazzi vaticani,
Stanza della Segnatura.

Sopra:
Tondo Doni
(1506-1507).
Firenze, Uffizi.

Nella pagina a fianco:
Rosso Fiorentino,
Mosé e le figlie di Jetro (1523).
Firenze, Uffizi.

I recenti restauri del *Tondo Doni* e della volta della Sistina hanno messo in evidenza il valore esemplare della pittura di Michelangelo per il primo manierismo toscano.
La dissonante cromia e il moto violento che agita il dipinto del Rosso sono desunti dai dipinti di Michelangelo e dal distrutto cartone per la *Battaglia di Cascina*.

trasformarsi a vista, superare il proprio limite. Perciò erano in uno stato di tensione, di sforzo che raramente si esauriva in un'azione conclusa. Il momento culminante della ricerca del ragguaglio tra sembiante e parola è la volta della Sistina, dove la pittura traduce in visione sensibile la visività, la rivelazione virtuale, ch'era nell'universalità del divino. I Profeti e le Sibille hanno, necessariamente, dei corpi e dei volti umani, di cui l'espressione e il movimento manifestano l'interno e provvidenziale dinamismo; ma è il loro nome, scritto con grande evidenza alla base dei troni, che li fa, o piuttosto li "nomina" Profeti e Sibille, prescelti a ricevere e comunicare il Verbo. Non bastasse la relazione esplicita, l'estrema intensità cromatica rivelata negli affreschi sistini dall'eccellente restauro in corso dimostra come Michelangelo non considerasse la natura fonte e modello del suo "bello": i colori erano rivelatori del divino in quanto non erano "naturali" e si trasformavano in quanto visualizzavano il soprannaturale senza naturalizzarlo.

La dialettica
degli opposti

COME LE FORME visibili della pittura e della scultura, così le parole assumevano un senso rivelatorio in quanto erano inserite in contesti diversi dall'ordine sintattico-rettorico del discorso ciceroniano. La poesia, insomma, era una costruzione che dislocava le parole in modo che, libere da ogni nesso logico-discorsivo, super-significassero. Giustamente Binni ha stabilito un nesso tra le poesie scritte con il chiaro proposito di fare poesia e le lettere, scritte senza il minimo proposito di fare prosa letteraria.

Le lettere, scritte per lo più per motivi occasionali di famiglia e di lavoro, tradivano, e non sorprende, un'eccezionale intensità esistenziale: qualsiasi evento quotidiano, grande o piccolo che fosse, assumeva nella mente dell'artista gravità di problema esistenziale: riportava, cioè, a quell'angoscioso problema dell'esistere, che non poteva avere se non una soluzione religiosa. Le lettere mostrano la qualità, ovviamente non comune, del materiale verbale della poesia; ma questa consiste nella trasformazione dei normali costrutti e nella tessitura di un nuovo contesto che isola il valore "in sé" delle parole.

È appunto la novità del tessuto poetico che ha messo in luce la penetrante analisi strutturale del Gambon: rispetto alla logica sintattica della rettorica ciceroniana era un nuovo processo di simbolizzazione, che trapassava dall'inconscio al trascendente senza passare per lo strato intermedio del discorso logico.

È questo, per il Gambon, il motivo per cui la poesia michelangiolesca, sottovalutata dalla critica, ha impressionato profondamente poeti moderni come Montale e Ungaretti. Come tante tracce recano del vissuto, così le rime non di rado riflettono le idee di Michelangelo sull'arte, sul bello, sull'aspra fatica e le frequenti amarezze del lavoro artistico. In tre versi famosi ha sintetizzato la sua poetica:

> *«Non ha l'ottimo artista alcun concetto*
> *c'un marmo solo in sé non circoscriva*
> *col suo superchio...».*

È neoplatonico il tema della preesistenza dell'idea, del resto già adombrato nell'albertiano trattato della pittura, a cui manife-

47

Nella pagina a fianco:
*Giuliano de' Medici
duca di Nemours*
(1526-1534).
Firenze, San Lorenzo,
Sagrestia Nuova.

stamente si richiama definendo circoscrizione il contorno. Il tema ritorna in un madrigale per Vittoria Colonna:

> «*Sì come per levar, donna, si pone
> in pietra alpestre e dura
> una viva figura,
> che là più cresce u' più la pietra scema...*».

È tipica di Michelangelo l'insistenza sull'atto tecnico del levare che prende valore di atto spirituale, di sublimazione: levare la materia era ben più che scalpellare via la pietra soverchia. Infatti il processo valeva anche per la poesia:

> «*Sì come nella penna e nell'inchiostro
> è l'alto e 'l basso e 'l mediocre stile,
> e ne' marmi l'immagin ricca o vile,
> secondo che 'l sa trar l'ingegno nostro...*».

Il paragone di scultura e scrittura non potrebbe essere più esplicito, ma perché parlare della penna e dell'inchiostro invece che della pagina bianca, se non per alludere a un valore che si genera dalla mano e dagli strumenti di cui si serve? I primi due versi potevano valere anche per il disegno, che è scrittura fatta con penna e inchiostro: è il disegno, dunque, che lega quasi fisicamente arte e poesia. Il loro rapporto era un congegno con una sua funzione precisa, anche se non primaria, nel dinamismo mentale dell'artista.

Il quale, infatti, non poteva fare a meno di porsi certi problemi: quali erano i limiti sensoriali dell'arte, fino a che punto l'esperienza visiva del reale doveva intensificare il suo ritmo, affrettare i suoi giri per potere, alla fine, decollare e innalzarsi al sublime?

Per capire la funzione che ha avuto la poesia in quello ch'è stato il processo del pensiero figurativo di Michelangelo, bisogna tenere presente che, se il suo esito fu la trascendenza pura, il punto di partenza furono Brunelleschi, Donatello, Masaccio e quella sorta di atto costitutivo dell'arte umanistica che fu il trattato dell'Alberti.

In esso era detto con tutta chiarezza che del "non-visibile" nulla interessa il pittore, «solo studia il pictore fingere quello si vede». Michelangelo non ha mai figurato se non cose non visibili o visibili soltanto nella luce della rivelazione; ma proprio perciò la loro visibilità doveva essere intensificata, potenziata. Petrarchescamente pensava alla bellezza che va per gli occhi al cuore; e alla funzione visiva dava tutta la dovuta importanza: «gli occhi miei vaghi delle cose belle»; «gli occhi miei ghiotti d'ogni meraviglia»; «fa del mio corpo tutto un occhio solo», e così via.

L'esperienza dei sensi era l'ostacolo da superare, quanto più era intensa tanto più si elevava lo spirito: non diversamente l'amore sensuale era peccaminoso, ma senza di esso non ci sarebbe stato l'amor di Dio, l'eros era bifronte, ma era uno.

Nel *Giudizio* lo stesso gigantismo delle figure era, per contraddizione, il superamento della loro fisicità. I sinceri o (come l'Aretino) ipocriti devoti della Controriforma non avevano, in fondo, tutti i torti, anche se tutti quei nudi non erano impudichi come dicevano, ma celebravano grandiosamente il recupero della carne nell'ora del giudizio finale.

Quando affermava che gli artisti debbono avere le seste negli occhi, Michelangelo non intendeva certo opporre un banale empirismo alle teorie matematiche delle proporzioni; intuiva che il vedere era già un atto ontologico. Vedere, però, era anche nominare: il contorno lineare delle figure aveva un senso finito,

La mancanza di somiglianza tra i duchi e le statue poste sulle loro sepolture fu una critica spesso rivolta a Michelangelo. La risposta dell'artista era: «Nessuno ricorderà il loro aspetto tra mille anni». È chiara nel Buonarroti l'avversione per un'arte puramente mimetica. Nel caso delle Tombe Medicee, le statue dei defunti non potevano essere occasione per eseguire dei ritratti: i duchi sono espressione di valori morali e ideali.

Resurrezione di Cristo,
(1532).
Londra, British
Museum.

circoscriveva l'immagine come la parola il concetto. E certo anche qui c'era contraddizione di finito e infinito, la stessa che sboccherà nella contraddizione per cui il non-finito era oltre il finito, quindi il vero finito.

Il principio di contraddizione era al fondo del neoplatonismo, che fu la filosofia di Michelangelo: da quell'oscillazione tra contrari nacque il dinamismo intenso della sua figurazione.

È si capisce perfettamente che dai contemporanei sia stato esaltato come irraggiungibile maestro dello scorcio: lo scorcio, che presupponeva le seste negli occhi, era l'espediente dialettico che di una figura dava il punto più lontano come contiguo al più vicino o, che è lo stesso, copriva col tragitto più corto la distanza più lunga.

La struttura concettuale e verbale delle *Rime* è tutta fondata sulla contraddizione, come se ciascun concetto (e ogni immagine si fissava in concetto) potesse definirsi soltanto come antitesi del proprio contrario.

La frequenza dei contrapposti concettuali è senza dubbio uno dei segni più chiari dell'estremismo manieristico di Michelangelo poeta.

Citando solo qualche esempio tra i tanti possibili: «ogni altro per piacer ed io per doglia», «m'arde e ghiaccia», «sarò come nel

Il disegno è stato messo in relazione con il progetto decorativo della Sagrestia Nuova. Si riferisce probabilmente alla scena affrescata con la Resurrezione di Cristo, che doveva essere dipinta sopra le "sepolture di testa".

foco el ghiaccio», «vivo della mia morte», «felice vivo d'infelice sorte», «chi m'ancide mi difende», «più mi giova dove più mi nuoce», «son presto e tardo», «dal dolce pianto al doloroso riso», «da un'eterna ad una corta pace», «freddo al sol, caldo alle più fredde brume», «d'altrui pietoso e sol di sé spietato», «amore e crudeltà m'han posto il campo: l'un s'arma di pietà, l'altra di morte, questa m'ancide e l'altro tiene in vita», e così continuando.

È evidente l'analogia col disegno, dove lo scorcio non è un espediente prospettico, ma il principio stilistico per cui lo stesso segno definisce sullo stesso piano il lontano e il vicino. Ma nella figurazione come nella poesia il moto oscillatorio, alto-basso, del segno è connesso con la marcata tendenza al concettismo, ogni concetto definendosi in rapporto al proprio contrario. Per Michelangelo concetto e immagine erano la stessa cosa, avevano la stessa concentrazione e la stessa chiusura; e l'identità si estendeva alla parola, che doveva essere definita da una propria struttura fonetica e sillabica, come l'immagine dal proprio contorno. Nella disputa circa la lingua i fanatici della fiorentinità puntavano sulla precisione e la densità concettuale della parlata toscana: verso la fine del secolo l'Accademia della Crusca intraprese la stesura del primo "vocabolario" della lingua italiana: per il suo intento definitorio non poteva che concettualizzare ogni parola.

Già nei primi decenni, tuttavia, la necessità di concettualizzare la nomenclatura entrava nella ragion politica del Machiavelli: nei *Decennali*, che raccontavano in poesia la storia recente, tutte le virtù, i vizi, le note di carattere erano elette a concetti, connotati addirittura dall'iniziale maiuscola: Fortuna, Frode, Invidia, Penitenza, Avarizia, Ozio, Necessità: e tant'era esigente Machiavelli in fatto di fiorentinità, che la voleva addirittura distinta dalla toscanità.

All'interno dei testi poetici la durezza cristallina delle parole-concetti risaltava a causa del suo isolamento e della sua chiusura, del suo sottrarsi alla logica discorsiva implicita nei nessi grammaticali e sintattici; per questo la costruzione poetica era tutt'altra cosa dalla costruzione prosastica. Lo si vede chiaramente dall'inane tentativo dei commentatori che, illudendosi di diradarne l'oscurità, ne hanno volti in prosa i passi più astrusi e involuti.

Il risultato è stato dei più deludenti, tanto da dare ragione alla severità del Croce circa la sostanziale futilità e l'inutile difficoltà di quei contenuti concettuali. Perché allora un contemporaneo come il Berni, che detestava il petrarchismo cortigiano, lodava Michelangelo per aver detto cose invece che parole? In che cosa consisteva la "coseità" del suo dettato poetico? Certo, soltanto raramente i contenuti concettuali avevano una propria, concreta sostanza; trascrivevano però l'intenso ritmo esistenziale di una coscienza inquieta e ansiosa, che si serviva della poesia come d'un processo di simbolizzazione sia pure artificiosamente tormentato ma, in definitiva, liberatorio.

E tanto più lo era in quanto, non essendoci dietro quella poesia una letteratura, non implicava la perizia professionale che Michelangelo pittore e scultore sapeva di possedere più di qualsiasi altro. Quella rara "coseità" della parola consisteva nella fermezza del contorno, nella forza timbrica, nello smalto lucente, come di pietra dura, che acquistavano le singole parole proprio per la loro nessuna associazione armonica in quel contesto abnorme, che non seguiva il filo d'un discorso, ma dislocava le note verbali secondo i ritmi di moto di un'alta e turbata coscienza per cui tutto era disperante o esaltante contraddizione.

Le parole, che pure avevano un senso comune, stanno nel

Il genio della vittoria (1532-1534 ca). Firenze, Palazzo Vecchio, Salone dei Cinquecento.

Il significato della scultura (molto discusso) si intuisce, nei suoi caratteri generali, dal gesto del giovane che sottomette il vecchio. Il movimento rotatorio e l'andamento serpentinato della linea assumono in Michelangelo il valore di un concetto che racchiude l'idea.

contesto poetico come i volti, i corpi, i panni dei Profeti e delle Sibille: nulla più che schermi per intercettare e comunicare messaggi altrimenti inafferrabili. Era anche, quel linguaggio sostanzialmente non dissimile da quello d'uso corrente, una difficoltà da superare: e, nella poetica manieristica che proprio Michelangelo fondava, tutta l'arte era superamento di difficoltà, reali o fittizie che fossero. Difficoltà significava contraddizione: come, nelle *Rime*, amore e morte, speranza e sconforto, virtù e peccato, umiltà e superbia.

Non contava la portata dei concetti, ma la dinamica della loro contraddizione: cercare di dare un senso al loro continuo ribaltamento è come pretendere che gli ignudi in tanti diversi atti di moto al sommo della volta sistina dichiarino perché si agitano e dove vogliono andare.

Quei moti immotivati ed eccessivi non sono che la liberazione di un'energia fino a quel momento repressa: ciò che viene vistosamente contraddetto è la simmetria, l'ordine proporzionale, l'equilibrio degli aspetti naturali e degli eventi storici. C'è contrasto tra il bello oggettivo e canonico (quello raffaellesco, insomma) e il bello soggettivo:

> «*Dimmi di grazia, Amor, se gli occhi miei*
> *veggono 'l ver della beltà c'aspiro*
> *o s'io l'ho dentro allor che, dov'i' miro,*
> *veggio scolpito el viso di costei...*».

La bellezza, dunque, non è la causa esterna dell'amore, ma invece l'amore stesso che forma il proprio oggetto: essendo modo di essere del soggetto, l'amore non muta per il fatto, in fondo occasionale, che il suo oggetto sia una donna o un uomo, una persona reale come il Cavalieri o Vittoria Colonna, o immaginaria come la donna bella e crudele.

Poesia di Michelangelo: la critica.

Lettera di Michelangelo
(1511-1512),
con schizzo
dell'artista che si
ritrae mentre dipinge
la volta della Cappella
Sistina.
Firenze, Casa
Buonarroti.

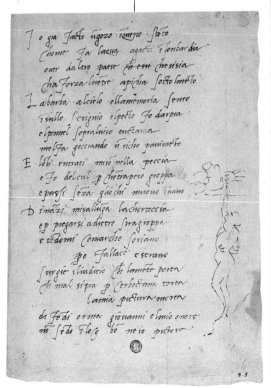

Come poeta Michelangelo non fu sicuramente un dilettante, non era nel suo carattere. La lettura non facile né troppo gradevole dei suoi sonetti, madrigali, capitoli e canzoni tradisce il tormento della stesura, ma anche una tenace ricerca di perfezione. Il fatto che alcuni compositori del tempo, non eccelsi, ne abbiano musicato qualcuno, non significa che fossero o paressero armoniosi, bastava la celebrità dell'autore ad assicurare il successo. Lui vivo, circolarono manoscritti in una limitata cerchia di letterati: Francesco Berni, Benedetto Varchi, Donato Giannotti e, naturalmente, Tommaso Cavalieri e Vittoria Colonna, ai quali non pochi componimenti sono ispirati e dedicati. Uno di essi, Luigi del Riccio, progettò di pubblicarne una scelta e Michelangelo, così geloso della sua fama d'artista, acconsentì e collaborò. Morto il Riccio nel 1546, il progetto non ebbe seguito né fu rilanciato, Michelangelo seguitò a poetare finché visse senza pensare a pubblicare. Le ultime cose, poi, sono al di là di ogni ricerca letteraria: ne traspare l'ansia religiosa che dopo la Cappella Paolina gli fece lasciare la pittura e dematerializzare sempre più le rare sculture.

Anche ammettendo che l'inarrivabile altezza dell'opera figurativa e architettonica l'abbia oscurata, l'opera poetica di Michelangelo non ha avuto, fino al secolo scorso, una gran fortuna: si sa quante riserve, dal *Giudizio* in poi, avessero circa la sua religiosità trascendentale i gretti fautori del moralismo controriformistico. Delle poesie di Michelangelo non si parlò più fino al 1623, quando il nipote, Michelangelo il giovane, decise di pubblicarle; ma ne alterò il testo per farlo più leggibile e, peggio, lo purgò dei passi dov'era più evidente l'erotismo omosessuale del grande antenato. Di quell'inclinazione, come dell'inquietudine religiosa, ancorché ambedue spiegabili nel quadro del neoplatonismo michelangiolesco, si preferiva ancora non parlare.

Dei contemporanei, il primo a capire che la poesia di Michelangelo non andava confusa col petrarchismo di moda fu senza dubbio il Berni, pur più portato alla satira che al complimento. Lo chiamò "Apollo-Apelle", e forse non era che un grazioso gioco di parole, ma afferrò con perfetta lucidità la gravità dei contenuti concettuali di quella poesia in confronto al vaniloquio del petrarchismo di moda: «...ei dice cose e voi dite parole...»; e quelle cose erano concetti di chiara estrazione platonica:

> «Ho visto qualche sua composizione:
> sono ignorante, e pur direi d'avelle
> lette tutte nel mezzo di Platone...».

Dopo quasi due secoli d'indifferenza, che non bastò a scuotere l'edizione del 1623, la poetica romantica fece di Michelangelo il prototipo del genio ispirato: fu Ugo Foscolo a scoprire l'importanza del suo lascito poetico; ma lo tradì il paragone tra la "immaginazione imitativa" dell'artista e la "immaginazione creativa", che gli parve non altrettanto potente, del poeta. L'errore pregiudiziale di cercare il confronto invece

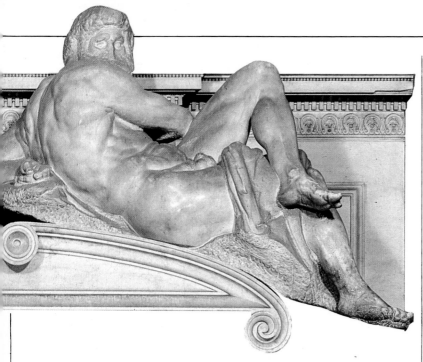

della relazione arrivò fino a Benedetto Croce: dietro quelle rime c'era naturalmente il grande Michelangelo, che però fu più poeta in pittura e scultura che non in poesia: dove non fu che un dilettante e, mancandogli anche la perizia del letterato, un dilettante mediocre, pieno di «improprità, zeppe, oscurità, contorsioni, durezze, che non si possono accettare perché realmente sgradevoli».

Nonostante i giudizi limitativi e i diminuenti confronti, la conoscenza dell'opera poetica di Michelangelo si rese realmente possibile soltanto quando apparve l'edizione accresciuta di Cesare Guasti del 1863, finalmente cavata dagli autografi e non dall'edizione secentesca; vi fece seguito nel 1897 l'edizione tedesca a cura di Karl Frey, assai discussa quanto alle datazioni. Dopo numerose altre edizioni, più o meno complete, derivate da quella del Guasti ma con prefazioni illustri (Giovanni Amendola, Giovanni Papini, Valentino Piccoli), nel 1960 apparve, nella collana degli "Scrittori d'Italia" di Laterza, l'edizione critica definitiva curata da Enzo Noè Girardi.

La revisione della valutazione critica cominciò nel 1941 con la monografia di Valerio Mariani, ancora comparativa, ma in senso positivo: la poesia documentava un atteggiamento equivalente a quello dell'artista ed era interpretabile come una sorta di biografia interiore, descrittiva piuttosto dell'assillante tormento dell'arte che dei casi della vita quotidiana. Di fatto il rapporto con l'arte necessariamente esisteva, ma era d'analogia d'ispirazione. Il problema della reale autonomia e della giusta relazione di poesia e figuratività è stato finalmente inquadrato con chiarezza dagli studi di Robert J. Clements (1966), di Walter Binni (1975), di Glauco Gambon (1985).

Il Clements insiste ancora sul parallelismo di poetica letteraria e figurativa, ugualmente fondate sulla premessa neoplatonica, che risaliva ai primi anni della giovinezza, quando Michelangelo si formò nella cerchia culturale medicea, accanto al Poliziano e a Marsilio Ficino. A prima vista sorprende la definizione di "Michelangelo poeta barocco"; ma in realtà non ha nulla a che vedere col vecchio pregiudizio, sfatato, di "Michelangelo padre del barocco". Clements si riferiva alle correnti ascetico-mistiche di una parte della poesia del Seicento d'ispirazione, in definitiva, neoplatonica, da Gongora a Donne, non escludendo i sonetti di Shakespeare, che senza dubbio hanno strani punti di risonanza con la poesia di Michelangelo, che nessuno di quei poeti del Seicento, in fondo più manieristi che barocchi, poteva conoscere.

Il carattere marcatamente manieristico ha rilevato invece Gambon attraverso l'acutissima analisi strutturale non soltanto dei contesti linguistici, sintattici e metrici, ma di quella che potrebbe chiamarsi l'iconologia concettuale delle rime michelangiolesche: di fatto l'impiego di una lingua costituita e di forme poetiche ormai canoniche formavano un codice, la cui trasgressione capricciosa o bizzarra rifletteva un'incisiva, penetrante volontà espressiva.

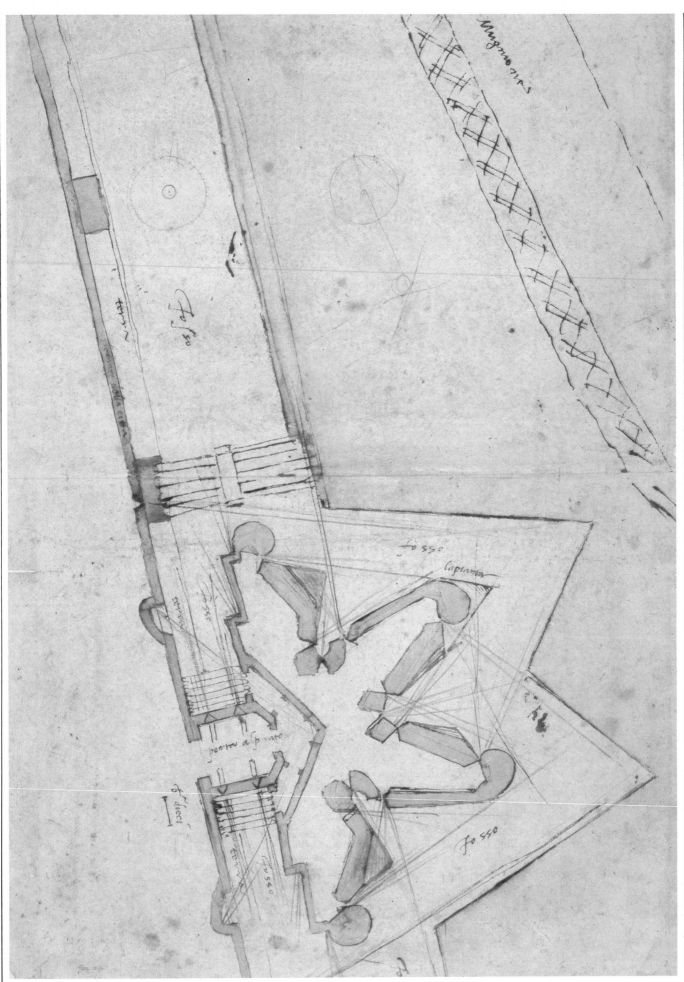

Il codice
e la sua
trasgressione

Nella pagina a fianco: disegno per le fortificazioni di Firenze (1527). Firenze, Casa Buonarroti.

San Matteo, (1505-1506). Firenze, Accademia.

EL SUO neoplatonismo, che col passare degli anni andava sempre più sublimandosi dal piano dell'intelletto a quello della fede religiosa, Michelangelo mirava bensì a una sostanziale unità delle arti, il disegno, ma, al di là di essa, a una più profonda, indissolubile unità di arte, esistenza, salvezza. Per giungere a questa unità bisognava superare la concezione dell'arte come imitazione, mimesi di una realtà esterna, la natura o l'antico, dati come modelli. Era la vera difficoltà dell'arte, tutte le altre ne dipendevano. Il trascendimento dell'esperienza sensoria o del modello storico era tanto più difficile e meritorio quanto più l'esperienza era viva e intensa:

> *«Come fiamma più cresce più contesa*
> *dal vento, ogni virtù ch'l cielo esalta*
> *tanto più splende quant'è più offesa...».*

Nelle arti della figurazione l'ascesa non era verticale: si prendeva nozione del divino vedendolo specchiato nelle sembianze del creato. Nella poesia, invece, la fisicità della cosa veniva superata nel momento stesso in cui era "nominata"; e tutto dipendeva da quel momento, cioè dal luogo che la parola riceveva nel contesto poetico.

Perciò nelle *Rime* ricorrono sempre parole chiave, il cui senso poetico dipende dalla loro collocazione anomala rispetto al discorso logico-sintattico. Per fare un solo esempio:

> *«Ogn'ira, ogni miseria e ogni forza,*
> *chi d'Amor s'arma vince ogni fortuna».*

Le grandi aporie dell'arte, tuttavia, non erano gli oggetti dell'imitazione, si trattasse della natura o dell'antico, ma l'imitazione stessa in quanto era insieme un atto di servitù e di possesso: una contraddizione tanto più assurda in quanto obbedienza e infrazione liberatoria erano contestuali. Salvo, s'intende, che nella vita religiosa, ed era il caso di Michelangelo che, al tempo della cosiddetta conversione, meditò lungamente la *Imitatio Christi*, cioè l'imitazione di ciò che non si poteva imitare. Era anche il grande motivo del conflitto religioso che, aperto a Firenze da Savonarola, era culminato nella ribellione di Lutero, che voleva una più severa servitù per una più gloriosa liberazione.

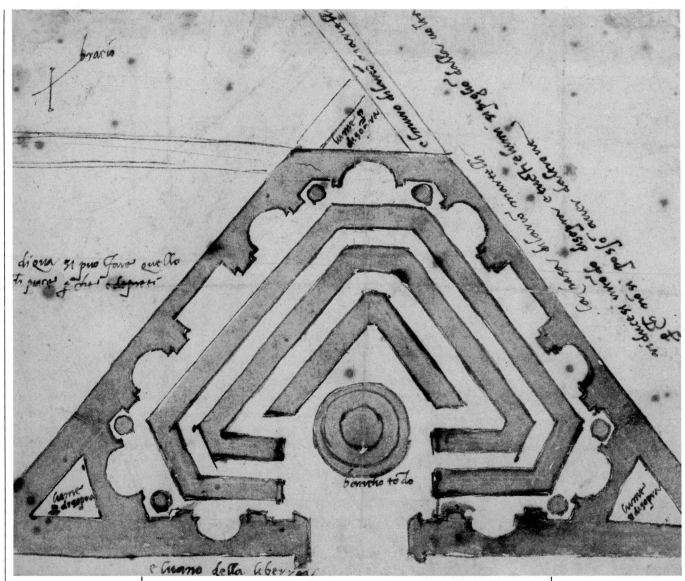

Pianta della
*Piccola libreria
secreta* per la
Biblioteca Laurenziana
(prima del 1525).
Firenze,
Casa Buonarroti.
**L'architettura in
Michelangelo diventa
elemento plastico e
volumetrico da cui
talvolta emergono
delle forme organiche.**

Non è vero che l'architettura fosse un'arte costituzional-
mente non-imitativa: per lodare un edificio lo si diceva non
murato, ma veramente nato. Osservare nel costruire e manife-
stare nelle forme plastiche le leggi dell'equilibrio statico era un
modo, se non di imitare, di costringere l'artista a operare secondo
natura. E se l'imitazione dell'architettura antica era difficile
perché dai documenti sopravvissuti, come dal trattato di Vitruvio, non era stato possibile ricavare una regola generale, c'era
pur sempre un lessico, una morfologia istituzionalizzata: le forme
delle colonne, dei capitelli, delle basi, degli abachi costituivano
un codice dal quale non si poteva facilmente prescindere. Un
"volgare" architettonico pareva non potersi dare, troppo legata
era l'architettura alle istituzioni che si dicevano sempiterne.
Eppure la grande scoperta di Michelangelo, ancorché preparata
dal Brunelleschi e da Giuliano da Sangallo (molto meno dall'Alberti), fu proprio un volgare architettonico illustre, addirittura
trascendentale; e lo dimostrano gli straordinari disegni per le
fortificazioni fiorentine che, senza il minimo riferimento lessicale
a quel codice, travolgono tutta la tradizionale castramentazione
e, senza la minima condiscendenza al paesaggio, aggredivano la
natura con incredibile violenza. E non erano una geniale ecce-
zione, dettata magari da un impulso patriottico: la "terribile"
flessione strutturale di quei bastioni legava perfettamente col
vestibolo della Laurenziana, col complesso di gradinata e piazza
del Campidoglio, con il movimento di masse di San Pietro.

A fare soltanto architettura, o quasi, Michelangelo si dedicò dopo la "conversione" che (come aveva espresso negli ultimi affreschi, nella Cappella Paolina) era deliberata rinuncia alla mediazione della natura e della storia nel rapporto, che voleva diretto, con Dio: un rapporto che non passava più attraverso la vita, ma attraverso la morte.

L'abiura alla figurazione era esplicita:

> «Che giova voler far tanti bambocci,
> se mi ha condotto al fin, come colui
> che passò 'l mar e poi affogò ne' mocci?
> L'arte pregiata, ov'alcun tempo fui
> di tanta opinïon, mi rec'a questo,
> povero, vecchio e servo in forz'altrui
> ch'io son disfatto, s'i' non muoio presto».

È la più sconsolata delle confessioni: si sentiva ormai staccato dall'arte di figurazione, in cui aveva avuto tanti successi: né pensava come arte l'architettura, a cui ormai quasi esclusivamente si dedicava, ma come un servizio o un dovere: un motivo che ritorna in parecchie lettere.

Come l'architettura, la poesia aveva i suoi codici: le varie forme canoniche dei componimenti, le rime, la fissità iconica del lessico; non si poteva fare a meno di servirsi di quel lessico ma si poteva mutare, se non il significato letterale delle parole, il loro valore espressivo nel contesto. In architettura è la rottura della

Scalone del Ricetto (1559). Firenze, Biblioteca Laurenziana. **Lo scalone è stato eseguito da Bartolomeo Amannati basandosi su un modello in terracotta di Michelangelo.**

tradizionale proporzionalità che isola gli elementi lessicali, li dissocia dalla logica degli equilibri statici, li isola, li esaspera, li costringe a riassorbire in sé, nella forza plastica del modellato, le forze che avrebbero dovuto sviluppare, neutralizzare, trasmettere. È un continuo conflitto tra l'osservanza e la trasgressione: anche per questo la poetica manieristica si delinea più nettamente in architettura e in poesia che in scultura e in pittura. E certamente gli elementi lessicali erano quelli dell'antico, non ve n'erano altri; ma l'incisività tutta fiorentina con cui erano disegnati e modellati, il loro isolarsi anche coloristicamente, l'anomalia degli intervalli sono i segni evidenti di una sorta di eufuismo formale che è proprio l'opposto del tanto celebrato quanto inesistente titanismo di Michelangelo.

Il quale non è mai stato un costruttore nel senso tradizionale del termine: come ha notato giustamente Ackerman, ha sempre costruito sul costruito, ma non per questo la sua architettura fu meno geniale. Del resto fu l'atteggiamento costante di tutto il suo lavoro: non tanto creare dal nulla, che sarebbe ancora stato un imitare il processo della natura, quanto mutare radicalmente, ribaltare il senso abituale delle cose. Alla fine della sua vita, in Santa Maria degli Angeli, con pochi gesti taumaturgici capovolse da pagano a cristiano il senso del tepidario delle Terme di Diocleziano, di quello che era "idolum" fece "templum Virginis". Era il suo punto d'arrivo: conservare quasi integralmente un testo antico e invertirne il significato. Della stessa cupola di San Pietro, impegno angoscioso della sua vecchiaia, non lo preoccupò la questione costruttiva indubbiamente difficile, ma la linea di curvatura: doveva uguagliare due opposti, il volume chiuso della calotta e lo spazio infinito d'un cielo, che doveva essere insieme naturale ed empireo. E non nascose l'intento di ripetere il miracolo del Brunelleschi, ma ne mutò il significato, da toscano a universale.

Vasari s'accorse che, nella cappella medicea di San Lorenzo, l'interesse di Michelangelo era tutto per gli "ornamenti", che sovrapponevano la loro ritmica intensa alla proporzionalità della struttura brunelleschiana, tanto alterandone il senso originario da rompere l'involucro murario e stringere un rapporto d'antitesi tra il vuoto prospettico delle nicchie e la massa irrompente dei sarcofagi dei duchi. Allo stesso Vasari quel ritmo di ornamenti troppo ravvicinati o allontanati per fare costruzione parve bellissimo, ma da non imitare. Ma proprio per il suo alterno andamento lento e impetuoso quella ritmica era strutturalmente simile a quella della poesia: un ritmo che spesso si contraddiceva e autosuperava in una più alta, sottile, quintessenziale aritmia. Elementi lessicali architettonici e verbali, ugualmente isolati da una sintassi volutamente inarmonica, acquistavano uno spicco che li fissava come essenti in sé, senza alcuna ragionata relazione.

La stessa novità dell'architettura di Michelangelo era dello stesso tipo di quella della sua poesia: non è per caso che la sua attività poetica non fu mai così continua e precisa come negli anni fiorentini dei lavori nella sagrestia di San Lorenzo e nella biblioteca, il cui vestibolo, che dal punto di vista costruttivo è tutto un controsenso, è sicuramente la più "poetica" delle sue opere architettoniche. E forse, con l'amara versione definitiva della tomba di Giulio II in San Pietro in Vincoli a Roma, la più esplicitamente, disinibitamente manieristica.

Ciò che violentemente, ma consapevolmente, contestava era la relazione classica tra costruzione-sostantivo e decorazione-aggettivo: infranta quella relazione, lo "ornamento" non più accessorio, ma protagonista, soggiogava alle proprie tensioni puramente ideali la logica della statica costruttiva. Un limite precostituito da cui, superandolo, finalmente ci si liberava.

QUADRO CRONOLOGICO

AVVENIMENTI STORICI	VITA DI MICHELANGELO
	1475 Il 6 marzo Michelangelo Buonarroti nasce a Caprese, secondogenito del podestà Lodovico di Leonardo.
1478 La Congiura dei Pazzi, fomentata dal papa Sisto IV, fallisce; muore Giuliano de' Medici, ma l'autorità del fratello, Lorenzo il Magnifico, ne esce consolidata.	
1481 Sandro Botticelli dipinge forse in quest'anno la *Primavera* e la *Nascita di Venere*. Leonardo inizia l'*Adorazione dei Magi*.	Gli muore la madre. Riceve le prime lezioni di grammatica. Più tardi conosce il pittore Francesco Granacci, che lo incoraggia a disegnare.
1482 È completata la decorazione pittorica della Cappella Sistina in Vaticano, dove Perugino e Botticelli hanno avuto un ruolo di primo piano.	
1483 Nasce a Urbino Raffaello. Leonardo stipula il contratto per la *Vergine delle rocce*.	

AVVENIMENTI STORICI	VITA DI MICHELANGELO
1484 Giovani Battista Cybo è eletto papa con il nome di Innocenzo VIII.	
1485 Probabile anno di nascita di Tiziano.	
1486 Il Ghirlandaio e la sua bottega iniziano la decorazione del coro di Santa Maria Novella (terminerà nel 1490).	
1488 Muore a Venezia lo scultore fiorentino Andrea Verrocchio.	Entra a Firenze come apprendista nella bottega dei Ghirlandaio. Nonostante le tarde smentite dello stesso Michelangelo, la circostanza è confermata da diverse testimonianze. Vi resta solo un anno dei tre previsti.
1492 Muore Lorenzo de' Medici. È eletto papa Alessandro VI (Borgia). Cristoforo Colombo scopre l'America. Muore Piero della Francesca.	A questo periodo risalgono le primissime opere: la *Centauromachia*, il *Crocifisso* ligneo per Santo Spirito e la *Madonna della Scala*.
1494 Discesa in Italia del re di Francia Carlo VIII. A Firenze viene cacciato Piero de' Medici e proclamata la Repubblica. Sono gli anni della predicazione di Girolamo Savonarola.	Fugge a Venezia poco prima dell'entrata di Carlo VIII a Firenze. Successivamente si trasferisce a Bologna, dove realizza un *Angelo* reggicandelabro a completamento dell'Arca di San Domenico.
1495 Leonardo inizia il *Cenacolo*. Perugino è a Firenze dove apre un'attiva bottega.	Rientra a Firenze, dove esegue alcune piccole sculture (perdute) per Lorenzo di Pierfrancesco de' Medici.
1496	Nel mese di giugno è a Roma, ospite del cardinale Raffaele Riario. Esegue un *Cupido* (perduto) e il *Bacco* (Firenze, Bargello).
1498 Su pressione di Alessandro VI, Savonarola è processato e mandato al rogo. A Roma muore Antonio Pollaiolo.	Il 27 agosto stipula un contratto con il cardinale francese Jean Bilhères per la *Pietà*: si impegna a terminare la statua in un anno, il prezzo pattuito è di 450 ducati.
1499 Luca Signorelli inizia gli affreschi della Cappella di San Brizio nel Duomo di Orvieto.	Il 6 agosto muore il committente della *Pietà*.
1500 Luigi XII re di Francia scende in Italia. Gli Sforza sono cacciati da Milano. Leonardo rientra a Firenze. Bramante è a Roma. Botticelli dipinge la *Natività mistica*.	Contratto per l'esecuzione di una pala d'altare a Sant'Agostino a Roma. L'opera va forse identificata con il *Seppellimento di Cristo* (Londra, National Gallery), di cui è però discussa l'autografia.
1501 Prime opere di Raffaello a Città di Castello.	Torna a Firenze. Il 5 giugno riceve l'incarico per alcune sculture per l'Altare Piccolomini nel Duomo di Siena. Il 16 agosto la Repubblica fiorentina gli affida l'esecuzione del *David*.
1502 Pier Soderini viene nominato gonfaloniere a vita della Repubblica fiorentina.	Il 12 agosto la Repubblica gli commissiona un secondo *David*, per il cardinale Pierre de Rohan. L'opera verrà portata a termine da Benedetto da Rovezzano.

AVVENIMENTI STORICI		VITA DI MICHELANGELO
Morte improvvisa di Alessandro VI. Dopo il brevissimo pontificato di Pio III, è eletto Giulio II (della Rovere), antagonista della politica di Alessandro VI. Crollo dello Stato che Cesare Borgia, figlio di Alessandro VI, si era creato nell'Italia centrale. Leonardo inizia la *Battaglia di Anghiari*.	**1503**	Il 24 aprile l'Opera di Santa Maria del Fiore gli commissiona 12 statue di apostoli per l'interno del Duomo. Solo il *San Matteo* verrà abbozzato. Il 14 dicembre il mercante di tessuti fiammingo Alexandre Moscrou gli paga 50 ducati per la *Madonna di Bruges*.
Raffaello si trasferisce a Firenze. Con il trattato di Blois la Spagna assume il diretto dominio del Regno di Napoli.	**1504**	Riceve l'incarico per l'affresco della *Battaglia di Cascina*. L'otto settembre il *David* è collocato in piazza della Signoria. In ottobre riceve un secondo pagamento dal mercante Alexandre Moscrou.
Bramante inizia il Tempietto di San Pietro in Montorio e il Cortile del Belvedere.	**1505**	In marzo il papa Giulio II gli affida la realizzazione della propria tomba. Michelangelo si trasferisce a Carrara fino alla fine dell'anno per la scelta dei marmi.
Giulio II riconquista Bologna. A Roma viene scoperto il *Laocoonte*. Bramante inizia la costruzione della nuova Basilica di San Pietro. Leonardo parte per Milano.	**1506**	Torna a Roma e, non riuscendo ad avere conferma dell'incarico per la Tomba di Giulio II, fugge a Firenze. Il 21 novembre si riconcilia a Bologna con Giulio II. È incaricato di eseguire un monumento bronzeo del papa.
Raffaello esegue la *Deposizione Baglioni*.	**1507**	Probabile anno di esecuzione del *Tondo Doni*.
Lega di Cambrai: contro Venezia si schierano Giulio II, Massimiliano d'Asburgo, Luigi XII e Ferdinando il Cattolico. Alonso Berruguete è a Firenze.	**1508**	Il 21 febbraio è inaugurato a Bologna il monumento a Giulio II. Michelangelo rientra a Firenze, dove il gonfaloniere Pier Soderini lo incarica di eseguire un *Ercole e Caco*. In aprile arriva a Roma. Il 10 maggio si impegna ad affrescare la volta della Cappella Sistina.
Sconfitta di Venezia ad Agnadello. Baldassarre Peruzzi progetta la Villa Farnesina per Agostino Chigi. Raffaello è a Roma, dove inizia la decorazione delle Stanze.	**1509**	
Lega Santa contro la Francia tra Giulio II, Ferdinando il Cattolico e Venezia. Sebastiano del Piombo arriva a Roma. Andrea del Sarto inizia le *Storie della Vergine* nel Chiostro dell'Annunziata.	**1511**	Il 14 o il 15 agosto Giulio II visita la volta della Sistina non ancora completata.
Ritorno dei Medici a Firenze. A Siena Beccafumi dipinge il *Trittico della Trinità*, a Firenze Fra Bartolomeo il *Matrimonio mistico di Santa Caterina*.	**1512**	Il 31 ottobre la Cappella Sistina viene riaperta: gli affreschi sono stati completati venti giorni prima.
Muore Giulio II. Gli succede Giovanni de' Medici (figlio di Lorenzo il Magnifico) con il nome di Leone X. Leonardo è a Roma.	**1513**	Nel febbraio nuovo contratto per la Tomba di Giulio II.
Muore Bramante. Raffaello gli succede come architetto della Fabbrica di San Pietro. Dipinge le *Sibille* per la Cappella	**1514**	Gli viene commissionato il *Cristo risorto* di Santa Maria sopra Minerva. Su suo disegno viene eseguito il progetto

In queste pagine, da sinistra:
da Raffaello, *Ritratto di Giulio II* (1512), particolare. Firenze, Uffizi.

Lucas Cranach, *Martin Lutero (1528)*, particolare. Firenze, Uffizi.

Nelle pagine seguenti da sinistra:
Hans Holbein, *Erasmo da Rotterdam* (1523), particolare. Parigi, Louvre.

Tiziano Vecellio, *Paolo III con i nipoti* (1546), particolare. Napoli, Capodimonte.

AVVENIMENTI STORICI		VITA DI MICHELANGELO
Chigi a Santa Maria della Pace a Roma e inizia la decorazione della Stanza dell'Incendio.		della cappella pontificia in Castel Sant'Angelo.
Francesco I diventa re di Francia. Con la vittoria di Marignano riconquista Milano. Raffaello lavora ai cartoni per gli arazzi della Cappella Sistina. Machiavelli termina *Il Principe*. Andrea del Sarto inizia le *Storie del Battista* nel Chiostro dello Scalzo.	**1515**	In aprile torna a Firenze, dove rimarrà fino al 1534.
Alla morte di Ferdinando il Cattolico, Carlo d'Asburgo gli succede come re di Spagna. Ludovico Ariosto termina la prima edizione dell'*Orlando furioso*. Sebastiano del Piombo esegue la *Deposizione* dell'Ermitage e riceve l'incarico per la Cappella Borgherini a Roma.	**1516**	L'otto luglio è steso un terzo contratto per la Tomba di Giulio II che riduce ulteriormente l'ampiezza del progetto. Leone X gli affida il progetto della facciata di San Lorenzo a Firenze.
Lutero affigge le 95 tesi: è l'inizio della Riforma. Raffaello	**1517**	

AVVENIMENTI STORICI | VITA DI MICHELANGELO

e la sua bottega lavorano alla Loggia di Psiche, alla Farnesina e alle Logge vaticane. Leonardo va in Francia.

1518 Prime commissioni pubbliche per Pontormo e Rosso Fiorentino. Raffaello comincia la *Trasfigurazione* in concorrenza con la *Resurrezione di Lazzaro* di Sebastiano del Piombo, consigliato da Michelangelo.

1519 Carlo V d'Asburgo è eletto imperatore del Sacro Romano Impero. Muore Leonardo ad Amboise. A Parma Correggio dipinge la Camera della Badessa nel Convento di San Paolo e l'anno seguente la cupola di San Giovanni Evangelista. — Leone X lo incarica di costruire la Sagrestia Nuova di San Lorenzo, destinata ad accogliere sei tombe medicee.

1520 Improvvisa morte di Raffaello. Lutero è scomunicato con la bolla *Exurge Domine*. — Il 10 marzo Leone X rinuncia alla costruzione della facciata di San Lorenzo. Il progetto delle sepolture medicee è ridotto a due monumenti.

1521 La bottega di Raffaello domina l'ambiente romano: Giulio Romano affresca la Sala di Costantino, Perin del Vaga la Sala dei Pontefici. *Deposizione* di Rosso Fiorentino a Volterra. — A marzo inizia a lavorare alle tombe medicee. In agosto il *Cristo risorto* è collocato a Santa Maria sopra Minerva a Roma.

1522 Muore Leone X. Gli succede Adriano da Utrecht, già precettore di Carlo V. Il nuovo papa, Adriano VI, nel suo breve pontificato imporrà una politica di austerità.

1523 Muore Adriano VI. Gli succede Giuliano de' Medici (cugino di Leone X), con il nome di Clemente VII. Rosso Fiorentino è a Roma. Pontormo inizia le *Storie della Passione* alla Certosa del Galluzzo.

1524 Giulio Romano si trasferisce a Mantova al servizio di Federico Gonzaga. A Mantova iniziano i lavori per il Palazzo Te. Parmigianino è a Roma. — Iniziano i lavori per la Biblioteca Laurenziana e per la Tomba di Lorenzo de' Medici, duca di Urbino, con il *Crepuscolo* e l'*Aurora*.

1525 Vittoria spagnola a Pavia: Francesco I è fatto prigioniero.

1526 Lega di Cognac: contro Carlo V si coalizzano Francia, Papato, Firenze, Venezia e Milano. *Deposizione di Santa Felicita* di Pontormo. — Inizia la tomba di Giuliano de' Medici, duca di Nemours, con le sculture della *Notte* e del *Giorno*.

1527 Sacco di Roma. Fuggono da Roma Peruzzi, Rosso Fiorentino, Jacopo Sansovino, Perin del Vaga, Giovanni da Udine e Parmigianino. — In seguito alla cacciata dei Medici, si interrompono i lavori per la Sagrestia Nuova di San Lorenzo.

1529 Pace di Cambrai tra Francia e Spagna: Francesco I rinuncia alle sue pretese sull'Italia. — È nominato esperto delle fortezze. Prepara una serie di progetti per la difesa di Firenze.

1530 Carlo V è incoronato a Bologna da Clemente VII imperatore e re d'Italia. In cambio si — Dipinge la *Leda e il cigno* (distrutta) per il duca di Ferrara. Dopo la caduta della Re-

AVVENIMENTI STORICI | VITA DI MICHELANGELO

impegna a riportare Firenze sotto il giogo mediceo. — pubblica (12 agosto), si nasconde. Perdonato dal papa Clemente VII, riprende i lavori alla Laurenziana e nella Sagrestia Nuova.

1531 Alessandro de' Medici rientra a Firenze dopo la parentesi repubblicana. — Dipinge il cartone del *Noli me tangere* (il dipinto venne realizzato dal Pontormo).

1532 Nuovo contratto per la sepoltura di Giulio II. Il progetto è ridotto a sei statue. Conosce Tommaso de' Cavalieri.

1533 A San Miniato al Tedesco incontra Clemente VII diretto in Francia. Forse in questa occasione è stabilito di dipingere il *Giudizio universale*.

1534 Muore Clemente VII. Gli succede Alessandro Farnese con il nome di Paolo III. Ignazio di Loyola fonda la Compagnia di Gesù. — A settembre, quando non sono ancora terminate le sculture per la Sagrestia Nuova, si trasferisce a Roma, probabilmente in vista della realizzazione del *Giudizio*.

1535 Rosso Fiorentino inizia la decorazione della Galleria del Castello di Fontainebleau. — L'incarico per il *Giudizio universale* è confermato dal nuovo pontefice Paolo III. Il primo di settembre è nominato pittore, scultore e architetto del Palazzo Vaticano.

1536 Riforma di Calvino a Ginevra. Paolo III costituisce una commissione composta dai cardinali Carafa e Contarini, per gettare le basi per una riforma della Chiesa. Pietro Aretino pubblica *I ragionamenti*. *Rime* di Vittoria Colonna. — Il 17 novembre Paolo III libera Michelangelo da ogni responsabilità nei confronti degli eredi di Giulio II, per i quali doveva ancora terminare il monumento funebre. L'artista può così dedicarsi interamente all'esecuzione del *Giudizio*.

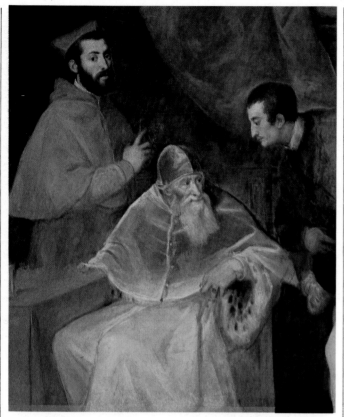

AVVENIMENTI STORICI — VITA DI MICHELANGELO

AVVENIMENTI STORICI		VITA DI MICHELANGELO
Salviati e Jacopino del Conte lavorano all'Oratorio di San Giovanni Decollato.	**1538**	Cura la sistemazione della statua equestre del *Marco Aurelio* sul Campidoglio.
	1539	Probabile inizio del *Bruto* per il cardinale Niccolò Ridolfi.
Paolo III invia il cardinale Pole a Viterbo: nel suo circolo ci sono Marcantonio Flaminio, il Carnesecchi, Vittoria Colonna. Contratto di Daniele da Volterra per la *Deposizione* di Trinità dei Monti. Perin del Vaga lavora alla Sistina chiamato da Michelangelo.	**1541**	Il 31 ottobre è scoperto il *Giudizio universale*. Il 23 novembre, attraverso la mediazione di Paolo III, ottiene da Guidobaldo della Rovere (erede di Giulio II) che la tomba del pontefice sia portata a termine da altri sotto la supervisione dell'artista.
A Roma è istituito il Santo Uffizio. Muore il cardinale Contarini, protagonista del "riformismo" cattolico.	**1542**	Il 20 agosto è steso l'ultimo contratto per la Tomba di Giulio II. Inizia gli affreschi della Cappella Paolina.
Iniziano i lavori di decorazione di Castel Sant'Angelo.	**1543**	
Storia di Furio Camillo del Salviati nella Sala delle Udienze di Palazzo Vecchio.	**1544**	Disegna la tomba di Francesco Bracci. Alla fine dell'anno è terminata la parte architettonica della Tomba di Giulio II a San Pietro in Vincoli.
Durante la Dieta di Worms, gli ordini "protestanti" (da cui il nome) rifiutano di partecipare al Concilio di Trento. Sessione inaugurale del Concilio di Trento: è l'inizio della Controriforma. Tiziano soggiorna a Roma.	**1545**	Verso febbraio vengono sistemate le statue nella Tomba di Giulio II. In quello stesso mese dipinge una *Crocifissione* per Vittoria Colonna. Entro l'anno termina la *Conversione di San Paolo* della Cappella Paolina.
Muore Antonio da Sangallo il Giovane. A Mantova muore Giulio Romano. Vasari affresca la Sala dei Cento Giorni al Palazzo della Cancelleria.	**1546**	Inizia la *Crocifissione di San Pietro* per la Cappella Paolina. È nominato architetto della Fabbrica di San Pietro al posto di Antonio da Sangallo il Giovane. È incaricato del completamento di Palazzo Farnese.
Muore Vittoria Colonna. Carlo V sconfigge i principi protestanti riuniti nella Lega di Smalcalda.	**1547**	
Miracolo dello schiavo di Tintoretto. Ignazio di Loyola pubblica gli *Exercitia spiritualia*.	**1548**	
Morto Paolo III (dicembre 1549), gli succede Giulio III. Giorgio Vasari pubblica la prima edizione de *Le Vite*, tracciando un percorso artistico che parte da Cimabue e da Giotto e ha il suo culmine nell'opera di Michelangelo.	**1550**	Sono portati a termine gli affreschi della Cappella Paolina.
	1552	È terminata la scalinata del Campidoglio.
	1553	Lavora alla *Pietà* per il Duomo di Firenze.
Muore Giulio III. Gli succede, dopo il brevissimo pontificato del cardinale riformatore Marcello Cervini, Giovan Pietro Carafa col nome di Paolo IV. Dopo la Pace di Augusta, Carlo V abdica.	**1555**	Paolo IV gli conferma l'incarico di architetto della Fabbrica di San Pietro.
	1556	In settembre abbandona Roma minacciata dall'avvicinarsi dell'esercito spagnolo, e si dirige a Loreto. A Spoleto è raggiunto da un invito del papa a tornare a Roma.
Elisabetta I regina d'Inghilterra.	**1558**	
Muore Paolo IV. Gli succede Pio IV, zio di Carlo Borromeo.	**1559**	Progetti per la chiesa di San Giovanni dei Fiorentini e per la Cappella Sforza. Spedisce a Firenze il modello per la scala della Libreria Laurenziana. Probabile inizio della *Pietà Rondanini*.
	1560	Per Caterina de' Medici disegna un progetto per il monumento a Enrico II di Francia. Progetto per la tomba di Giangiacomo dei Medici di Marignano nel Duomo di Milano, poi realizzato da Leone Leoni. Disegni per Porta Pia.
	1561	Trasformazione delle Terme di Diocleziano nella chiesa di Santa Maria degli Angeli.
Il 31 gennaio è fondata a Firenze l'Accademia del Disegno; Michelangelo ne viene designato "capo" assieme a Cosimo I de' Medici.	**1563**	
Il 21 gennaio la Congregazione del concilio decide di fare coprire le parti del *Giudizio universale* considerate oscene. Daniele da Volterra è incaricato di eseguire il lavoro.	**1564**	Il 18 febbraio muore nella sua casa romana presso il Foro Traiano.

BIBLIOGRAFIA ESSENZIALE

Nella sterminata bibliografia michelangiolesca va segnalato innanzitutto il repertorio bibliografico curato da E. Steinmann e R. Wittkower, *Michelangelo Bibliographie*, Leipzig, 1927 (fino al 1926) e il suo aggiornamento (fino al 1970) curato da L. Dussler, Wiesbaden, 1974.

Per la biografia dell'artista sono fondamentali le testimonianze di artisti contemporanei come il Condivi (*Vita di Michelangelo*, Firenze, 1927), come il Vasari (*Vita di Michelangelo*, a cura di P. Barocchi, Firenze, 1952) e come Francisco de Hollanda, autore dei *Dialoghi michelangioleschi*, a cura di E. Spina Barelli, Milano, 1964. Tra le monografie non può essere tralasciata quella monumentale di Charles de Tolnay, *Michelangelo*, 1945-60 e quella più recente di Herbert von Einem, *Michelangelo*, Berlin, 1973. Un taglio particolare è dato del saggio di Robert Clements, *Michelangelo's Theory of Art*, 1961 (trad. it. *Le idee sull'arte*, Milano, 1964). Su Michelangelo architetto insuperato è il saggio di James Ackerman, *The Architecture of Michelangelo*, 1961 (trad. it. Torino, 1968) integrato dal successivo *Michelangelo architetto*, a cura di P. Portoghesi e B. Zevi, Torino, 1964.

Daniele da Volterra,
Ritratto di Michelangelo,
particolare.
Firenze, Accademia.

REFERENZE FOTOGRAFICHE

Alinari, pp. 22a, 23b, 37, 47, 49, 55b.
C.M., pp. 3, 34, 35, 41, 50, 52, 54b.
Documentazione redazionale, pp. 13a, 13b, 14a, 14b.
Foto Rabatti-Domingie/ Archivio Giunti, copertina.
Giunti, pp. 4, 5, 8a, 8b, 9, 11, 22, 24-25, 36, 40, 44.
I.G.D.A., pp. 1, 53, 56, 58.
Massimo Listri, p.39

Scala, pp. 6, 7, 10, 12, 15, 18, 21, 25, 26, 27, 28, 29a, 38, 42, 43, 45, 46, 51, 54-55a, 57, 59, 61, 62, 63, 64, 65, 66.

Fascicoli e dossier arretrati:
Servizio abbonati
Tel. (055) 5062267
Fax (055) 5062287
c.c.p. 12940508
intestato a Art e Dossier, Firenze

Art e Dossier
Inserto redazionale allegato al n. 9, gennaio 1987
Direttore responsabile Bruno Piazzesi
Pubblicazione periodica
Reg. Cancell. Trib. Firenze n. 3384 del 22.11.1985

© 1987, 1999
Giunti Gruppo Editoriale, Firenze

Printed in Italy
Stampa presso Giunti Industrie Grafiche S.p.A. Stabilimento di Prato
Iva assolta dall'editore a norma dell'articolo 74 lett. c - DPR 633 del 26.10.72

ISBN 88-09-76203-7